CURSO
DE ESPAÑOL
PARA
EXTRANJEROS

ELE
ACTUAL

A1

Libro
del alumno

Virgilio Borobio

www.sm-ele.com

Autor
Virgilio Borobio
Con la colaboración de Ramón Palencia

Edición
Alejandro García-Caro García
Marta Oliveira Ramírez

Corrección
Departamento de corrección de SM

Asesoramiento lingüístico
Eduardo Vallejo

Traducción del glosario
Bakun (alemán e inglés), Anne-Elisabeth Treffot (francés), Ibercentro: Simone Campos y Mary Jane de Santana Gomes (portugués)

Ilustración
Julio Sánchez / Archivo SM; Fátima García; Lluis Filella

Cartografía
Estudio SM

Fotografía
Javier Calbet, Sonsoles Prada, Fidel Puerta, Sergio Cuesta, Juan Baraja, José Manuel Navia/Archivo SM; Rolando Calle; Olimpia Torres; Luis Castelo; Pedro Carrión Juárez; Gonzalo Martínez Azumendi; Fran Panadero; Javier Jaime; Sebastián Álvaro; María Galán; R. Schmid/FOTOTECA 9x12; Kevin Peterson, Geoff Manasse, Mickael David, Jack Hollingsworth, Ryan McVay, Emma Lee, STOCKTREK/PHOTODISC; Raga/PRISMA; Odilon Dimier/PHOTOALTO; Carrusan – CORBIS/CORDON PRESS; Rodrigo Torres/GLOWIMAGES; Vera Gummesson/iSTOCKPHOTO.COM; HEMERA/AGE FOTOSTOCK; JUPITER IMAGES/GETTY IMAGES; BONGARTS/FERY PRESS; MASTERFILE/INDEX; DREAMSTIME.COM; CREATAS; CONTACTO; EFE; FIRO FOTO; SPAINPHOTOSTOCK; PRISMA; G TRES ON LINE; LATINSTOCK; BANANASTOCK; FANCY; PHOTONONSTOP; PHOVOIR; INGIMAGE; 123RF; THINKSTOCK; ALBUM.

Grabación
Rec Division

Edición gráfica
Fidel Puerta Flores

Diseño de cubierta e interiores
Estudio SM

Maquetación
Pasión Gráfica, S.L.

Coordinación técnica y de diseño
Mario Dequel

Coordinación editorial
Cristina Campo García

Dirección del proyecto
Pilar García García

Datos de comercialización

Para el extranjero:
Grupo Editorial S.M. Internacional
Impresores, 2. Urb. Prado del Espino
28660 Boadilla del Monte – Madrid (España)
Teléfono: (34) 91 422 88 00
Fax: (34) 91 422 61 09
internacional@grupo-sm.com

Para España:
Cesma, S.A.
Joaquín Turina, 39
28044 Madrid
Teléfono: 902 12 13 23
Fax: 902 24 12 22
clientes@grupo-sm.com

© Virgilio Borobio Carrara y Ramón Palencia del Burgo - Ediciones SM
www.sm-ele.com
ISBN: 978-84-675-5181-5
Depósito legal: M-01.183-2011
Impreso en UE / Printed in EU

ELE ACTUAL A1 es un curso comunicativo de español dirigido a estudiantes adolescentes y adultos que cubre el nivel A1 establecido por el *Marco común europeo de referencia para las lenguas* y está adaptado al *Plan curricular del Instituto Cervantes*. Se trata de un curso centrado en el alumno, que permite al profesor ser flexible y adaptar el trabajo del aula a las necesidades, condiciones y características de los estudiantes.

Se apoya en una metodología motivadora y variada, de contrastada validez, que fomenta la implicación del alumno en el uso creativo de la lengua a lo largo de su proceso de aprendizaje. Sus autores han puesto el máximo cuidado en la secuenciación de las diferentes actividades y tareas que conforman cada lección.

Tanto en el Libro del alumno como en el Cuaderno de ejercicios se ofrecen unas propuestas didácticas que facilitan el aprendizaje del estudiante y lo sitúan en condiciones de abordar con garantías de éxito situaciones de uso de la lengua, así como cualquier prueba oficial propia del nivel al que **Ele Actual A1** va dirigido (DELE, escuelas oficiales de idiomas, titulaciones oficiales locales, etc.).

El Libro del alumno está estructurado en tres bloques, cada uno de ellos formado por cinco lecciones más otra de repaso. Las lecciones giran en torno a uno o varios temas relacionados entre sí.

En la sección ***Descubre España y América Latina*** se tratan aspectos variados relacionados con los contenidos temáticos o lingüísticos de la lección. Las actividades propuestas permiten abordar y ampliar aspectos socioculturales de España y América Latina, complementan la base sociocultural aportada por el curso y posibilitan una práctica lingüística adicional.

Todas las lecciones presentan el cuadro ***Recuerda,*** donde se recapitulan las funciones comunicativas tratadas en ellas, con sus correspondientes exponentes lingüísticos y contenidos gramaticales.

Cada lección concluye con la sección ***Materiales complementarios***, en la cual se ponen a disposición de alumnos y profesores más propuestas didácticas destinadas a la práctica adicional y opcional de las destrezas y de los contenidos lingüísticos y funcionales. Han sido concebidas para dar una respuesta más flexible a las necesidades específicas de los alumnos y dotar de más variedad al curso. Su inclusión en el manual contribuye a enriquecer el repertorio de técnicas de enseñanza empleadas por el docente.

Al final del libro se incluyen un resumen de todos los contenidos gramaticales (***Resumen gramatical***) y un **glosario del vocabulario productivo** del curso ordenado por lecciones y traducido a varios idiomas.

Así es este libro

Presentación

Al comienzo de cada lección se especifican los objetivos comunicativos que se van a trabajar. La presentación de los contenidos temáticos, lingüísticos (gramática, vocabulario y fonética) y funcionales se realiza con el apoyo de los documentos y técnicas más adecuados a cada caso. En las diferentes lecciones se alternan diversos tipos de textos, muestras de lengua, diálogos, fotografías, ilustraciones, cómics, etc. La activación de conocimientos previos y el desarrollo del interés de los alumnos por el tema son objetivos que también se contemplan en esta fase inicial.

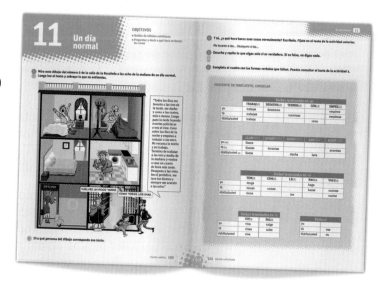

Práctica de contenidos

A continuación se incluye una amplia gama de actividades significativas y motivadoras mediante las cuales el alumno va asimilando de forma progresiva los contenidos lingüísticos y funcionales necesarios para alcanzar los objetivos de la lección. Muchas de ellas son de carácter cooperativo y todas han sido graduadas de acuerdo con las demandas cognitivas y de actuación que plantean al alumno.

Estas actividades permiten:

- La práctica lingüística.

- La aplicación, el desarrollo y la integración de las diferentes destrezas lingüísticas (comprensión auditiva, expresión oral, interacción oral, comprensión lectora y expresión escrita).

- La aplicación y el desarrollo de estrategias de comunicación.

- El desarrollo de la autonomía del alumno.

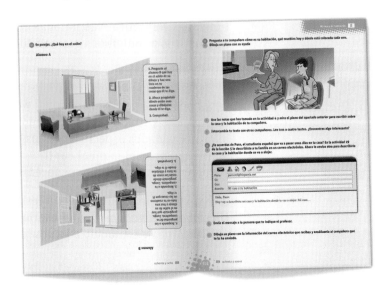

Contenidos socioculturales

La integración de contenidos temáticos y lingüísticos hace posible que el alumno pueda aprender la lengua al mismo tiempo que asimila unos conocimientos sobre diversos aspectos socioculturales de España y América Latina. Las tareas incluidas contribuyen también a aumentar el interés por los temas seleccionados y al desarrollo de la conciencia intercultural, esto es, a la formación en el conocimiento, comprensión, aceptación y respeto de los valores y estilos de vida de las diferentes culturas.

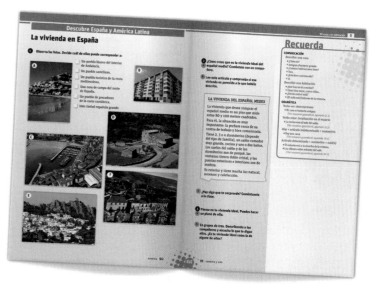

Materiales complementarios

Las propuestas didácticas incluidas en la sección *Materiales complementarios* constituyen un auténtico banco de actividades extra. Aportan más variedad, innovación y calidad didáctica al programa; ayudan a centrar más el curso en el alumno y facilitan la flexibilidad del profesor, quien podrá decidir cuál es la actividad adecuada y el momento apropiado para realizarla una vez que haya detectado ciertas necesidades específicas de sus alumnos.

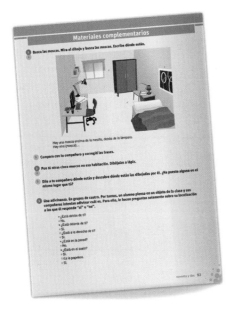

Repasos

Las lecciones de repaso ponen a disposición de los alumnos y del profesor materiales destinados a la revisión y el refuerzo de contenidos tratados en las cinco lecciones precedentes. Dado que el objetivo fundamental de estas lecciones es la activación de contenidos para que el alumno siga reteniéndolos en su repertorio lingüístico, el profesor puede proponer la realización de determinadas actividades incluidas en ellas cuando lo considere conveniente, aunque eso implique alterar el orden en que aparecen en el libro, y así satisfacer las necesidades reales del alumno.

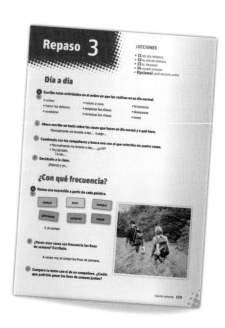

Contenidos del libro

	TEMAS Y VOCABULARIO	OBJETIVOS COMUNICATIVOS
1 SALUDOS Y PRESENTACIONES	• Saludos (1) • El nombre • El alfabeto • Ayudas (1) • Instrucciones de clase • Despedidas	• Saludar • Responder a un saludo • Presentarse • Preguntar y decir el nombre y el apellido • Deletrear • Despedirse
2 ORIGEN Y PROCEDENCIA	• Países y nacionalidades • Lenguas • Ayudas (2) • Números del 0 al 20	• Preguntar y decir la nacionalidad • Preguntar y decir qué lenguas se hablan • Expresar desconocimiento • Pedir información léxica y ortográfica
3 INFORMACIÓN PERSONAL	• Profesiones • Lugares de trabajo • Estudios • Números del 21 al 100 • La dirección • El teléfono • Números ordinales	• Preguntar y decir la profesión • Preguntar y decir dónde se trabaja • Preguntar y decir qué se estudia • Preguntar y decir la dirección • Preguntar y decir el número de teléfono y de fax • Preguntar y decir la dirección de correo electrónico
4 ¿TÚ O USTED?	• Saludos (2) • Presentación de una tercera persona • El tratamiento	• Dirigirse a alguien • Saludar • Responder a un saludo • Presentar a alguien • Responder a una presentación • Preguntar por una persona • Responder identificándose • Pedir confirmación
5 MI FAMILIA	• La familia • El estado civil • La edad • Descripciones físicas de personas • Colores • El carácter • Identificación de personas	• Pedir y dar información sobre la familia • Pedir y dar información sobre el estado civil • Pedir y dar información sobre la edad • Describir físicamente a una persona • Hablar del carácter de una persona • Identificar a una persona • Agradecer
REPASO 1	**Lecciones 1-2-3-4-5**	
6 OBJETOS	• Objetos • Números del 101 al 10 000 • Monedas y billetes • De compras	• Expresar existencia • Pedir cosas en una tienda • Preguntar y decir cuál es la moneda de un país • Preguntar el precio
7 MI PUEBLO, MI CIUDAD	• El pueblo o la ciudad • La situación geográfica • Números a partir del 10 001	• Hablar de la situación geográfica de una población • Describir una población • Hablar del número de habitantes • Preguntar y decir cuál es la capital de un país • Expresar la causa

TEMAS Y VOCABULARIO	OBJETIVOS COMUNICATIVOS

8 MI CASA Y MI HABITACIÓN

- La casa
- Mi habitación
- Los muebles

- Describir una casa
- Describir una habitación
- Expresar existencia
- Expresar localización en el espacio

9 GUSTOS

- Deportes y actividades de tiempo libre (1)
- Gustos personales

- Expresar gustos
- Expresar coincidencia y diferencia de gustos
- Expresar diversos grados de gustos

10 MI BARRIO, HORARIOS PÚBLICOS Y EL TIEMPO

- El barrio
- Lugares públicos
- La hora
- Días de la semana
- Horarios públicos
- Meses y estaciones del año
- El tiempo atmosférico

- Describir un barrio
- Expresar preferencias
- Preguntar y decir la hora
- Preguntar e informar sobre horarios públicos
- Hablar del tiempo atmosférico

REPASO 2 — Lecciones 6-7-8-9-10

11 UN DÍA NORMAL

- Un día normal
- Acciones habituales (1)

- Hablar de hábitos cotidianos
- Preguntar y decir a qué hora se hacen las cosas

12 EL FIN DE SEMANA

- El fin de semana
- Deportes y actividades de tiempo libre (2)
- Tareas de la casa

- Hablar de hábitos y actividades del fin de semana
- Decir con qué frecuencia hacemos cosas

13 EL TRABAJO

- El trabajo o los estudios
- Profesiones
- Medios de transporte

- Hablar del trabajo o los estudios
- Expresar condiciones de trabajo
- Expresar aspectos positivos y negativos del trabajo
- Hablar sobre medios de transporte
- Preguntar y decir con qué frecuencia hacemos cosas

14 ¿SABES NADAR?

- Deportes y actividades de tiempo libre (3)
- Internet
- Valoraciones
- Opiniones

- Expresar habilidad para hacer algo
- Expresar conocimiento
- Expresar desconocimiento
- Valorar
- Expresar opiniones
- Expresar acuerdo
- Expresar desacuerdo
- Presentar un contraargumento

LECCIÓN OPCIONAL

- Acciones habituales (2)
- Deportes y actividades de tiempo libre (4)

- Hablar del pasado: expresar lo que hicimos ayer

REPASO 3 — lecciones 11-12-13-14-OPCIONAL

Saludos y presentaciones

OBJETIVOS

- Saludar
- Responder a un saludo
- Presentarse
- Preguntar y decir el nombre y el apellido
- Deletrear
- Despedirse

Buenos días

Buenas tardes

Buenas noches

El nombre

1 **Escucha y lee.**

a

🎧 1|1

- ¡Hola! ¿Cómo te llamas?
- o (Me llamo) Sara. ¿Y tú?
- (Yo me llamo) Carlos.

b **Escucha y repite.**

🎧 1|2

c **Practica con tu compañero.**

2 **Preséntate y saluda a tus compañeros.**

- Me llamo… ¿Y tú?
- o (Yo me llamo)…
- ¡Hola!
- o ¡Hola!

Las letras

3 **Escucha e identifica las letras.**

a

🎧 1|3

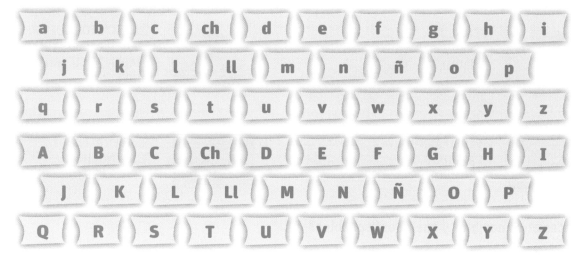

b **Escucha y repite.**

🎧 1|4

c **¿Qué letras no existen en tu lengua? Díselo a tu profesor.**

Fonética

4 **Escucha y marca con una cruz la letra que oigas.**

🎧 1|5

- e ☐   i ☐
- c ☐   z ☐
- v ☐   b ☐
- q ☐   k ☐
- s ☐   x ☐
- h ☐   ch ☐
- g ☐   j ☐

5 **Escucha y subraya los nombres que oigas.**

🎧 1|6

- Paco   Paca
- Luisa   Luis
- Paula   Pablo
- Félix   Felisa
- Manuela   Manolo
- Juana   Juanjo
- Gema   Chema

6 **Las tres en raya. En grupos de tres, por turnos, cada alumno elige una casilla y dice las letras que hay en ella. Si las dice bien, escribe su nombre en esa casilla. Gana el que obtiene tres casillas seguidas.**

y, i	ñ, n	k, q	r, j	v, w
z, c	b, v	r, l	e, a	d, t
j, g	u, o	ch, h	m, ñ	x, s
c, s	ll, l	p, b	w, b	i, e

Nombres y apellidos

7 **Lee y subraya los nombres y apellidos.**

a

 PENÉLOPE CRUZ GANA EL ÓSCAR A LA MEJOR ACTRIZ SECUNDARIA

 EL ESCRITOR COLOMBIANO GABRIEL GARCÍA MÁRQUEZ HABLA DE SU PRÓXIMA NOVELA

 EL DIRECTOR DE CINE PEDRO ALMODÓVAR, CANDIDATO A "HOMBRE DEL AÑO"

 LA ESCRITORA ISABEL ALLENDE, ESTA NOCHE EN TELEVISIÓN

b **¿Conoces otros nombres y apellidos españoles?**

Ayudas

8 **Observa los dibujos.**

a

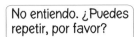

b **Escucha y repite.**

1|7

- ¿Cómo se escribe?
- No entiendo. ¿Puedes repetir, por favor?
- ¿Está bien así?
- No.
- Sí.

9 **Lee los diálogos.**

a

- ¿Cómo te llamas?
- Paul.
- ¿Y cómo te apellidas?
- Kruse.
- ¿Cómo se escribe?
- K-R-U-S-E.
- ¿Cómo? ¿Puedes repetir, por favor?
- K-R-U-S-E.
- ¿Está bien así?
- No.

KRUSI

- ¿Cómo te llamas?
- Paul.
- ¿Y de apellido?
- Kruse.
- ¿Cómo se escribe?
- K-R-U-S-E.
- ¿Está bien así?
- Sí.

KRUSE

b **Pregunta a tu compañero cómo se llama. Escribe su nombre y apellido.**

c **Ahora escribe un nombre y un apellido españoles. Deletréaselos a tu compañero. Comparad: ¿están bien?**

10 ¿Están bien escritos los apellidos? Escucha y marca.

1|8

	BIEN	MAL
A. G-a-r-c-é-s	☐	☐
B. R-o-m-e-r-a	☐	☐
C. R-o-d-r-í-g-u-e-z	☐	☐
D. S-a-n-c-h-o	☐	☐
E. R-u-i-z	☐	☐
F. H-e-r-n-a-n-d-o	☐	☐

11 Juega al ahorcado. ¿Qué apellido español es? Cada raya es una letra de un apellido. Di letras para descubrir cuál es.

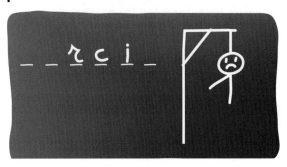

Instrucciones

12 a Mira los dibujos, escucha y lee.

1|9

A Lee.
B Pregunta a tu compañero.

C Escribe.
D Escucha.
E Marca.

F Mira.
G Habla con tu compañera.

b Escucha las instrucciones y escribe la letra correspondiente a cada dibujo.

1|10

c Escucha las instrucciones y actúa.

1|11

13 a Mira el dibujo.

¡Hasta mañana!
¡Adiós!
¡Adiós!
¡Adiós!

b Ahora despídete de tus compañeros.

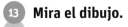

Palabras internacionales

1 Observa las fotos y lee las palabras.

a

b Di las palabras en voz alta.

c Escucha y comprueba.

1|12

Recuerda

COMUNICACIÓN

Saludar y responder a un saludo

- ¡Hola!
- Buenos días.
- Buenas tardes.
- Buenas noches.

Despedirse

- ¡Adiós!
- Hasta mañana.

Presentarse

- Me llamo Sara.

Preguntar y decir el nombre

- ¿Cómo te llamas?
- (Me llamo) Ana.

Preguntar y decir el apellido

- ¿Cómo te apellidas?
- (Me apellido) Fernández (Romero).

GRAMÁTICA

Pronombres personales sujeto

Singular	
1.ª persona **yo**	2.ª persona **tú**

(Ver resumen gramatical, apartado 8.1)

Presente de indicativo

Verbo *llamarse*

- (yo) me llamo
- (tú) te llamas

Verbo *apellidarse*

- (yo) me apellido
- (tú) te apellidas

(Ver resumen gramatical, apartados 7.1.1 y 8.3)

COMUNICACIÓN

- ¿Cómo se escribe?
- No entiendo.
- ¿Puedes repetir, por favor?
- ¿Está bien así?
- Sí.
- No.

d ¿Cuáles de esas palabras crees que son de origen latinoamericano?

e ¿Conoces otras palabras en español? Escríbelas.

1 **El bingo de las letras más difíciles. Lee el alfabeto y selecciona las letras más difíciles para ti.**

a

b **Escribe una de ellas en cada casilla de este cartón de bingo.**

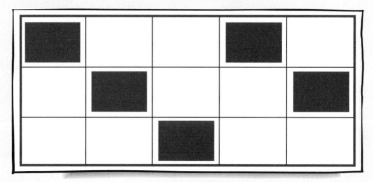

c **Escucha y marca las letras que oigas. Si completas el cartón, di "¡Bingo!".**

🎧
1|13

d **Si has cantado bingo, escribe las letras de tu cartón en la pizarra y dilas en voz alta. Si dices alguna mal, el juego continúa.**

2 **a** **Juego de letras y palabras. Piensa en una palabra en español.**

b **Escribe sus letras de forma desordenada.**

c **Díctaselas a tu compañero para que las copie.**

d **¿Sabe qué palabra es?**

3 Los nombres más populares en España. Mira el gráfico.

a

Los 20 nombres más populares en España (en %)

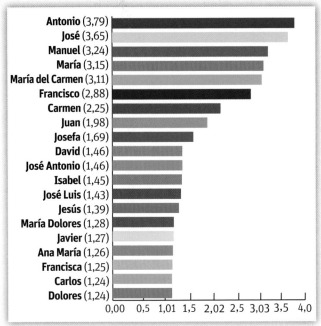
Instituto Nacional de Estadística

Isabel González Martín

María José Pérez Romero

Antonio Moreno Díaz

José María Alonso García

b Intenta completar el cuadro con los nombres correspondientes.

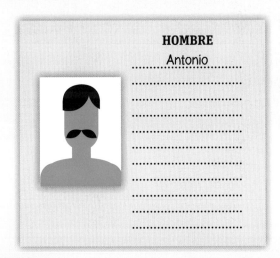

HOMBRE

Antonio
....
....
....
....
....
....
....
....
....

MUJER

María
....
....
....
....
....
....
....
....
....

c Elige para ti el nombre que más te gusta del gráfico. Pregunta a tus compañeros. ¿Cuál es el más popular?

● ¿Cómo te llamas?
○ (Isabel). ¿Y tú?

d ¿Puedes decir algunos nombres populares en tu país?

2

Origen y procedencia

OBJETIVOS

- Preguntar y decir la nacionalidad
- Preguntar y decir qué lenguas se hablan
- Expresar desconocimiento
- Pedir información léxica y ortográfica

1
a

Busca estos países en el mapa.

A. Canadá
B. Australia
C. Japón
D. Portugal
E. Argentina

F. Italia
G. Estados Unidos
H. Suiza
I. Suecia
J. Egipto

K. Inglaterra
L. Francia
M. Holanda
N. España
Ñ. Alemania

O. México
P. Brasil
Q. Corea del Sur
R. Rusia
S. Marruecos

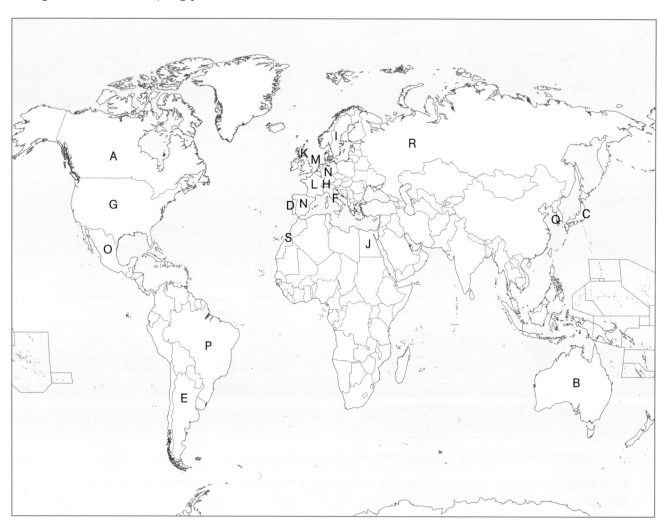

b **¿Qué países te sugieren estos nombres?**

- Paola
- Carmen

- Cécile
- Helmut

- Masako
- Mohammed

- Sally
- João

- Min
- Tatiana

Paola → Italia

Fonética   El acento

2 **Intenta leer los nombres de estos países.**

a

Ja<u>pó</u>n	Argen<u>ti</u>na	<u>Mé</u>xico
Portu<u>gal</u>	I<u>ta</u>lia	
Cana<u>dá</u>	<u>Sui</u>za	
	<u>Sue</u>cia	
	E<u>gip</u>to	
	Ingla<u>te</u>rra	
	<u>Fran</u>cia	
	Ho<u>lan</u>da	
	Es<u>pa</u>ña	
	Ale<u>ma</u>nia	
	Es<u>ta</u>dos U<u>ni</u>dos	
	Aus<u>tra</u>lia	
	Co<u>re</u>a del Sur	
	<u>Ru</u>sia	
	Ma<u>rrue</u>cos	

b **Escucha y comprueba.**

🎧
1|14

3 **Relaciona países con adjetivos de nacionalidad.**

PAÍSES	NACIONALIDADES
A. México	sueca
B. Argentina	estadounidense
C. Italia	inglés
D. Estados Unidos	holandesa
E. Suiza	mexicano
F. Suecia	japonés
G. Egipto	español
H. Inglaterra	argentina
I. Francia	francesa
J. Japón	italiana
K. Holanda	portuguesa
L. Portugal	suiza
M. Alemania	egipcia
N. España	brasileño
Ñ. Brasil	alemán
O. Australia	canadiense
P. Marruecos	coreana
Q. Corea del Sur	marroquí
R. Canadá	rusa
S. Rusia	australiana

4 **Completa la columna.**

a

PAÍS	NACIONALIDAD	
México	mexicano	mexicana
Argentina	argentino	....
Italia	italiano	....
Brasil	brasileño	....
Egipto	egipcio	....
Suiza	suizo	....
Suecia	sueco	....
Rusia	ruso	....
Corea	coreano	....
Australia	australiano	....
Inglaterra	inglés	inglesa
Francia	francés	francesa
Japón	japonés	....
Holanda	holandés	....
Portugal	portugués	....
España	español	española
Alemania	alemán	alemana
Estados Unidos	estadounidense	estadounidense
Canadá	canadiense	....
Marruecos	marroquí	marroquí

b **Fíjate.**

Adjetivos de nacionalidad: género

Masculino	Femenino
-o suiz**o** mexican**o**	*-a* suiz**a** mexican**a**
-consonante inglé**s**	-consonante + *a* ingle**sa**

Masculino y femenino
-e estadounidens**e**
-í marroqu**í**

5 Pasa la pelota. Piensa en el nombre de un país y dilo en voz alta. Pasa la pelota a un compañero. El que la reciba tiene que decir el adjetivo de nacionalidad en masculino y en femenino.

BRASIL.

BRASILEÑO, BRASILEÑA.

6 Lee el diálogo.

a
- ¿De dónde eres?
- Soy inglesa, de Londres. ¿Y tú?
- (Yo soy) Alemán, de Frankfurt.

b Ahora practica con tus compañeros.

7 ¿De dónde es? Mira las fotos y pregunta a tu compañero.

- ¿De dónde es Leo Messi?
- Es argentino. ¿Y Salma Hayek?
- Es mexicana. / No sé.

Leo Messi

Salma Hayek

Antonio Banderas

Scarlett Johansson

Cristiano Ronaldo

Nicole Kidman

Caetano Veloso

J. K. Rowling

8
a ¿Verdadero o falso? Piensa en famosos extranjeros y escribe una frase con información verdadera o falsa sobre cada uno de ellos.

Javier Bardem es mexicano.

b Díselas a tu compañero. ¿Sabe si las informaciones son verdaderas o falsas?

- No. (Javier Bardem) No es mexicano; es…
  Sí.
  No sé. ¿De dónde es?

Lenguas

9 **Lee el diálogo.**

a

- ¿Qué lenguas hablas?
- (Hablo) Español y francés. ¿Y tú?
- (Yo hablo) Español, inglés y alemán.

b **Escucha y repite.**

🎧 1|15

c **Ahora practica con tu compañero.**

10 **Pregunta a tu compañero qué lengua se habla en estos países.**

- Jamaica
- Brasil
- Colombia
- Nicaragua
- Nueva Zelanda
- San Marino
- Mónaco
- Austria
- Uruguay

- ¿Qué lengua se habla en Jamaica?
- (Se habla) Inglés. / No sé.

Ayudas

11 **Observa estos dibujos.**

a

b **Escucha y repite.**

🎧 1|16

- ¿Cómo se dice "nice" en español?
- No sé.

- Más despacio, por favor.
- Más alto, por favor.

12 **Escucha y actúa.**

🎧 1|17

13 **Elige dos palabras de tu lengua y pregunta a tu compañero cómo se dicen y cómo se escriben en español. Estas frases te servirán de ayuda.**

Los números del 0 al 20

14 **Escucha y lee los números.**

a

🎧 1|18

0 cero	**3** tres	**6** seis	**9** nueve	**12** doce	**15** quince	**18** dieciocho
1 uno	**4** cuatro	**7** siete	**10** diez	**13** trece	**16** dieciséis	**19** diecinueve
2 dos	**5** cinco	**8** ocho	**11** once	**14** catorce	**17** diecisiete	**20** veinte

b **Escucha y repite.**

🎧 1|19

15 **Completa el cartón de bingo con números del 0 al 20.**

a

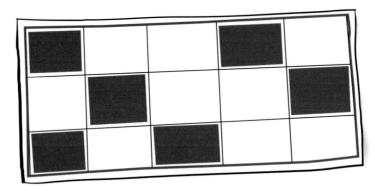

b **Escucha y marca los números que oigas. Si completas el cartón, di "¡Bingo!".**

🎧 1|20

16 **Escribe ocho números del 0 al 20.**

a

b **Díctaselos a tu compañero.**

Siete.

c **Comprobad.**

17 Lee lo que dice una persona que ha visitado muchos países.

a

Cuando voy a un país y no conozco su lengua, aprendo algunas palabras y frases útiles para comunicarme con los nativos.

b Aquí tienes algunas palabras y frases útiles. Pregúntale al profesor qué significan las que no entiendes.

Café (con leche)   ¿Cuánto es?   Sí   Gracias   Perdón

Cerveza   ¿Cómo se dice esto?   Vino   Bocadillo   Habitación

No   Agua   Por favor   Bien

c Relaciona una de las frases o palabras anteriores con la siguiente fotografía.

d ¿Qué otras palabras de las anteriores asocias a un bar?

e Si necesitas alguna palabra o frase en español, pregúntaselas al profesor.

El español en el mundo

1
a

Antes de leer. ¿Verdadero o falso?

	V	F
1. En todos los países de Latinoamérica se habla español.	☐	☐
2. Más de 350 millones de personas hablan español.	☐	☐
3. El español es la tercera lengua más hablada del mundo.	☐	☐
4. En España se hablan tres lenguas diferentes.	☐	☐

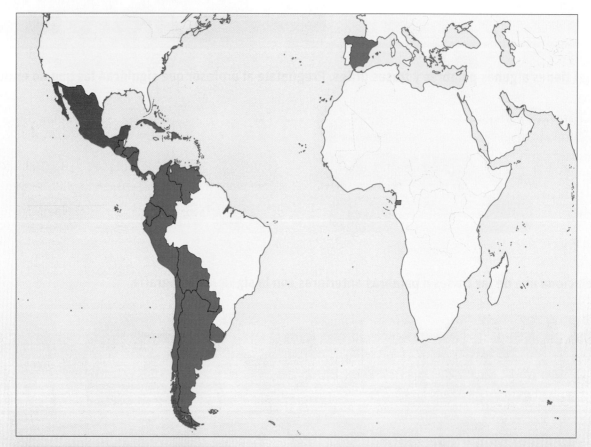

Parque Tres de Febrero, Buenos Aires.

Edificio del Oceanográfico.
Ciudad de las Artes y las Ciencias, Valencia.

b **Ahora lee el texto y comprueba las res-**
puestas anteriores.

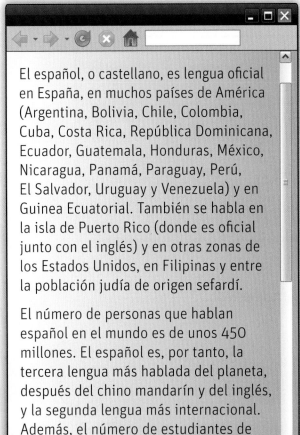

El español, o castellano, es lengua oficial en España, en muchos países de América (Argentina, Bolivia, Chile, Colombia, Cuba, Costa Rica, República Dominicana, Ecuador, Guatemala, Honduras, México, Nicaragua, Panamá, Paraguay, Perú, El Salvador, Uruguay y Venezuela) y en Guinea Ecuatorial. También se habla en la isla de Puerto Rico (donde es oficial junto con el inglés) y en otras zonas de los Estados Unidos, en Filipinas y entre la población judía de origen sefardí.

El número de personas que hablan español en el mundo es de unos 450 millones. El español es, por tanto, la tercera lengua más hablada del planeta, después del chino mandarín y del inglés, y la segunda lengua más internacional. Además, el número de estudiantes de español en el mundo es cada vez mayor.

En el Estado español se hablan, además de español o castellano, otras lenguas, como el catalán, el gallego o el vasco, que también son oficiales en sus respectivos territorios.

c **¿Hay algo que te sorprenda? Díselo a tus**
compañeros.

Recuerda

COMUNICACIÓN

Preguntar y decir la nacionalidad

- ¿De dónde eres?
- Soy francesa, de París.
- ¿De dónde es?
- Es argentina, de Buenos Aires.

GRAMÁTICA

Pronombres personales sujeto

Él, ella.

(Ver resumen gramatical, apartado 8.1)

Presente de indicativo, singular

SER
(yo)   soy
(tú)   eres
(él/ella)   es

(Ver resumen gramatical, apartado 7.1.2.1)

El género gramatical: adjetivos de nacionalidad

Masculino	Femenino
-o suizo mexicano	-a suiza mexicana
-consonante inglés	-consonante + a inglesa

Masculino y femenino
-e estadounidense
-í marroquí

(Ver resumen gramatical, apartado 3.1)

COMUNICACIÓN

Preguntar y decir qué lenguas se hablan

- ¿Qué lenguas hablas?
- (Hablo) Inglés y francés.

GRAMÁTICA

Presente de indicativo, singular

HABLAR
(yo)   hablo
(tú)   hablas
(él/ella)   habla

(Ver resumen gramatical, apartado 7.1.1)

Interrogativos

¿*Dónde* + verbo?
- ¿Dónde vives?
- En Málaga.

¿*Qué* + sustantivo?
- ¿Qué lenguas hablas?
- Inglés y alemán.

(Ver resumen gramatical, apartados 9.4 y 9.2.2)

1 Las tres en raya. En grupos de tres. Por turnos, cada alumno elige el nombre de un país y dice los adjetivos de nacionalidad masculino y femenino. Si están bien, escribe su nombre en esa casilla. Gana el que obtiene tres casillas seguidas.

Portugal	Suecia	Brasil	Marruecos	México
Argentina	Egipto	Japón	Alemania	Canadá
Estados Unidos	Holanda	Suiza	Francia	Australia
Italia	Corea	España	Rusia	Inglaterra

2 Adivina el número. Mira el dibujo y asegúrate de que entiendes todo.

a

b Ahora juega con un compañero. Gana el que adivina antes el número del compañero.

3 Palabras hispanas de uso internacional. Asegúrate de que entiendes estas palabras.

a

tango   tapa   paella   pisco   mate   siesta

nachos   merengue   fiesta   flamenco   tequila   mariachi

b ¿Con cuáles de ellas relacionas las fotos?

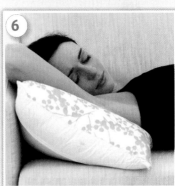

1 → flamenco

c Escribe cada palabra en la columna correspondiente.

Comida o bebida	Música	Tiempo libre
tapa		

d ¿Con qué país relacionas cada palabra? Díselo a tu compañero.

● Yo relaciono la palabra *tapa* con España. ¿Y tú?
○ Yo | también.
    | con (México).
    | con ningún país.

e ¿Conoces otras palabras hispanas de uso internacional? Escríbelas.

f Díselas a tus compañeros y con qué países las relacionas. ¿Las conocen?

3 Información personal

OBJETIVOS

- Preguntar y decir la profesión
- Preguntar y decir dónde se trabaja
- Preguntar y decir qué se estudia
- Preguntar y decir la dirección
- Preguntar y decir el número de teléfono y de fax
- Preguntar y decir la dirección de correo electrónico

1 Mira las fotos y subraya los nombres de profesiones.

Ana Ruiz, secretaria

Carlos Pérez, dependiente

Luis Milla, camarero

Javier Soto, periodista

Marta López, profesora

Susana Calvo, abogada

2 Relaciona profesiones con lugares de trabajo. Puedes usar el diccionario.

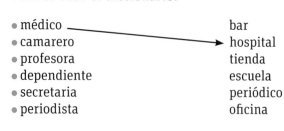

- médico
- camarero
- profesora
- dependiente
- secretaria
- periodista

bar
hospital
tienda
escuela
periódico
oficina

3 Fíjate.

Artículo indeterminado

	Masculino		Femenino
un	bar banco hospital restaurante colegio	una	tienda escuela oficina universidad empresa

4 **Escucha y lee.**

a

🎧
1|21

- ¿Qué haces? ¿Estudias o trabajas?
- Soy médico. Trabajo en un hospital. ¿Y tú?
- Yo soy estudiante.
- ¿Qué estudias?
- Medicina.

c **¿Cómo se dice en español tu profesión y el lugar donde estudias o trabajas? Pregunta al profesor si no lo sabes.**

b **Escucha y repite.**

🎧
1|22

d **Habla con tu compañero sobre sus estudios o su trabajo.**

e **Comentad a vuestros compañeros qué palabras habéis aprendido y copiadlas.**

5 **Pregunta a seis compañeros y completa el cuadro.**

	Nombre	Profesión	Lugar de trabajo
1			
2			
3			
4			
5			
6			

6 **Mira los dibujos y lee. ¿Comprendes?**

a

Es periodista y trabaja en un periódico.

Sí.

Es Jane.

Es Anne.

Es estudiante, estudia Física.

Sí.

b **Ahora juega con tus compañeros.**

Los números del 20 al 100

7 Escucha y repite los números.

a 🎧 1|23

20	30	40	50	60	70	80	90	100
veinte	treinta	cuarenta	cincuenta	sesenta	setenta	ochenta	noventa	cien

b Escucha e identifica los números.

🎧 1|24

21	22	31	32	41	42
veintiuno	veintidós	treinta y uno	treinta y dos	cuarenta y uno	cuarenta y dos

51	52	61	62	71	72
cincuenta y uno	cincuenta y dos	sesenta y uno	sesenta y dos	setenta y uno	setenta y dos

81	82	91	92
ochenta y uno	ochenta y dos	noventa y uno	noventa y dos

c Di estos números: 25 – 44 – 83 – 96 – 37 – 58 – 69 – 75.

8 Escucha los diálogos y elige el número correcto.

🎧 1|25

A. 50 - 15 **B.** 14 - 41 **C.** 2 - 12 **D.** 30 - 13 **E.** 91 - 19 **F.** 76 - 67 **G.** 18 - 80 **H.** 16 - 60

9 Haced una cadena de números hasta cien sumando tres al número que oigáis. Después, haced otra cadena sumando siete al número que oigáis.

Alumno 1: Cuatro.   Alumno 2: Siete.   Alumno 3: Diez.

La dirección

10 Lee las cartas y subraya las abreviaturas de *calle*, *plaza*, *avenida*, *número* y *paseo*.

a

1.º: primero
2.º: segundo
3.º: tercero
4.º: cuarto
5.º: quinto
6.º: sexto
7.º: séptimo
8.º: octavo
9.º: noveno
10.º: décimo

Silvia Costa
P.º Ruiseñores, n.º 25, 4.º C
50006 ZARAGOZA

Instituto Catalán
Pza. de la Poesía, 18, ático A
08035 BARCELONA

Tomás Pinto
Avda. Juan Sebastián Bach, 238
Comuna San Joaquín
Santiago (Chile)

Fernando Ojeda
C/Goya, 97
Ituzaingó
1714 provincia de Buenos Aires
ARGENTINA

b **¿Verdadero o falso?**

	V	F
1. El instituto Catalán está en la plaza de la Poesía.	☐	☐
2. La dirección de Silvia es calle de Ruiseñores, 25, 4.º C.	☐	☐
3. Fernando vive en el número 97 de la avenida de Goya.	☐	☐
4. Tomás no vive en Barcelona.	☐	☐
5. El código postal de Fernando es el 17014.	☐	☐
6. Silvia vive en un cuarto piso.	☐	☐

Fonética   Entonación

11 **Escucha y lee.**

a

🎧 1|26

- ¿Dónde vives?
- (Vivo) En la calle de la Libertad.
- ¿En qué número?
- En el 25. Y tú, ¿dónde vives?
- En la calle Galileo, número 40.

b **Escucha y repite.**

🎧 1|27

c **Pregunta a tus compañeros.**

12 **Mira el dibujo y lee.**

a

El teléfono del cine América, por favor.

Gracias.

El noventa y uno – cuatro – once – veinticinco – cuarenta y cinco.

b **Escucha cuatro conversaciones y relaciona los nombres con los números de teléfono.**

🎧 1|28

Nombre	Número de teléfono
1. Bar México	**A.** 91 539 46 20
2. Restaurante Mediterráneo	**B.** 91 726 15 12
3. Hotel Internacional	**C.** 91 326 19 98
4. Cine Central	**D.** 91 559 71 64

c **Escucha otras conversaciones y escribe los números de teléfono.**

🎧 1|29

Nombre	Número de teléfono
1. Aeropuerto	91 205 83 43
2. Estación de autobuses	....
3. Luis Martínez Castro	....
4. Hospital Ramón y Cajal	....

13 En parejas. ¿Cuál es el teléfono?

Alumno A

1. Pide al alumno B los números de teléfono que no tienes y escríbelos.

¿Cuál es el teléfono de los bomberos?

Bomberos

Policía
091

Iberia
902 400 500

Renfe
902 320 320

Cruz Roja

Ambulancias
91 479 93 61

Ayuda
Carretera

Taxis

2. Comprueba con tu compañero.

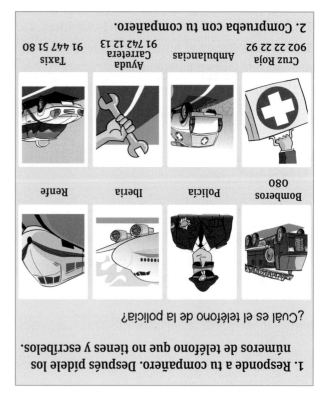

2. Comprueba con tu compañero.

Taxis 91 447 51 80
Ayuda Carretera 91 742 12 13
Ambulancias
Cruz Roja 902 22 22 92

Renfe
Iberia
Policía
Bomberos 080

¿Cuál es el teléfono de la policía?

1. Responde a tu compañero. Después pídele los números de teléfono que no tienes y escríbelos.

Alumno B

14 Observa estas tarjetas y responde a las preguntas.

JAVIER MOLINA

C/ Covaleda, 51 - 2.º A   Tel.: 91 327 38 46
28044 Madrid   Móvil: 619 24 45 72
ESPAÑA   Fax: 91 327 45 69

jmolina@hispanica.es

EL SOL

Agencia de viajes

Avda. Pocuro, 1074

Comuna Providencia

Santiago (CHILE)

Patricia Moreno
Directora de oficina
Fono: 26 55 32
Fax: 26 51 69

elsol@entelchile.net

1. ¿Cuál es el teléfono de Javier?
2. ¿Tiene móvil?
3. ¿Qué dirección de correo electrónico tiene El Sol?
4. ¿Qué fax tiene?

15 **a** Escucha y lee.

🎧 1
1|30 ● ¿Qué (número de) teléfono tienes?
      ○ El 96 428 41 46. ¿Y tú?
      ● Es un móvil: el 669 20 78 35.

2
● ¿Tienes fax?
○ No, pero tengo correo electrónico.
● ¿Y cuál es tu dirección (de correo electrónico)?
○ jlmedina@hispanica.es.

b Escucha y repite.

🎧
1|31

c Practica con tus compañeros.

16 Escucha y completa la ficha.

1|32

CENTRO DE ESTUDIOS FOTOGRÁFICOS	
Nombre	Miguel
Apellidos	Ruiz
Nacionalidad	
Profesión	
Dirección	
Ciudad	Madrid
Código postal	
Teléfono	91 213 53 54
Teléfono móvil	
Correo electrónico	

17 Imagina que eres un famoso y completa esta ficha. Inventa los datos que necesites.

a

Nombre	
Apellidos	
Nacionalidad	
Profesión	
Dirección	
Ciudad	
Código postal	
Teléfono	
Teléfono móvil	
Correo electrónico	

b Habla con "otro famoso" y pídele sus datos personales. Escríbelos.

c Comprobad.

18 Envía un correo electrónico a un compañero con
a tus datos personales. Incluye uno falso.

Para:
Cc:

Hola, Keiko:
Me llamo…

b Lee el correo electrónico de tu compañero.
¿Sabes cuál es el dato falso?

Para:
Cc:

Hola, …:
No vives en…

El trabajo en España

1 a Observa el gráfico sobre las actividades profesionales desempeñadas en España. Pregúntale al profesor qué significan las palabras que no entiendes.

Otras actividades (17,2 %)

Industria (19,2 %)

Sanidad y servicios sociales (5,4 %)

Educación (5,7 %)

Comercio (16,3 %)

Transporte y comercio (6,0 %)

Administración pública (6,4 %)

Hostelería (6,4 %)

Agricultura y ganadería (6,5 %)

Construcción (10,9 %)

(Boletín Mensual de Estadística, 104/105)

b Relaciona las fotos con las actividades profesionales del gráfico.

1 → hostelería

Recuerda

c Asegúrate de que entiendes estos nombres de lugares de trabajo.

- tienda
- oficina
- hospital
- colegio
- restaurante
- campo

d Relaciónalos con las fotos.

tienda → 5

e Ahora piensa en las actividades profesionales de tu país. ¿Crees que hay muchas diferencias con España? Díselo a tus compañeros.

COMUNICACIÓN

Preguntar y decir la profesión
- ¿Qué haces?
- Soy médico.

GRAMÁTICA

Género del sustantivo: masculino y femenino
Médico, escuela, estudiante.

(Ver resumen gramatical, apartado 2.1)

COMUNICACIÓN

Preguntar y decir dónde se trabaja
- ¿Dónde trabajas?
- (Trabajo) En un hospital.

Preguntar y decir qué se estudia
- ¿Qué estudias?
- (Estudio) Psicología.

GRAMÁTICA

Artículos indeterminados, singular

Masculino	Femenino
un (un banco)	una (una tienda)

(Ver resumen gramatical, apartado 4.2)

Presente de indicativo, singular

	TRABAJAR		ESTUDIAR
(yo)	trabajo	(yo)	estudio
(tú)	trabajas	(tú)	estudias
(él/ella)	trabaja	(él/ella)	estudia

(Ver resumen gramatical, apartado 7.1.1)

Interrogativos
- *¿Qué* + verbo?
- *¿Cuál* + verbo?

(Ver resumen gramatical, apartados 9.2 y 9.3)

COMUNICACIÓN

Preguntar y decir la dirección
- ¿Dónde vives?
- (Vivo) En la calle del Oso.
- ¿En qué número?
- En el 23.

Preguntar y decir el número de teléfono y de fax
- ¿Qué (número de) teléfono/fax tienes?
- No tengo teléfono/fax.
  El 93 318 20 24.

Preguntar y decir la dirección de correo electrónico
- ¿Cuál es tu dirección de correo electrónico?
- cprado@teleline.es.

GRAMÁTICA

	VIVIR		TENER
(yo)	vivo	(yo)	tengo
(tú)	vives	(tú)	tienes
(él/ella)	vive	(él/ella)	tiene

(Ver resumen gramatical, apartados 7.1.1 y 7.1.2.5)

Materiales complementarios

1 **Pasa la pelota. Piensa un número del 0 al 100 y dilo en voz alta. Después, pasa la pelota a un compañero. El que la recibe tiene que invertir el orden de las cifras.**

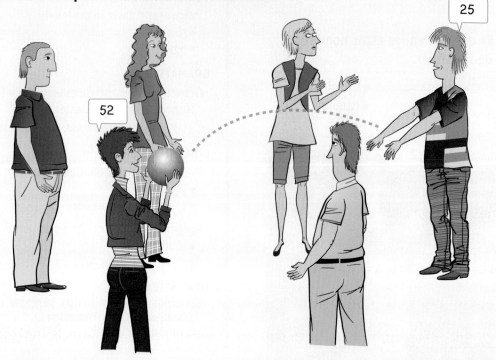

2 **Completa la ficha con estos datos.**

a

- Gutiérrez
- López
- Luisa
- lgutierrez@uav.es
- ingeniera
- 28001
- mexicana
- Madrid
- Pza. de América, 8

DATOS PERSONALES	
Nombre	
1.er apellido	Gutiérrez
2.º apellido	
Nacionalidad	
Profesión	
Dirección	
Código postal	
Ciudad	
Teléfono	91 581 59 26
Correo electrónico	

b **Juego de memoria. Cierra el libro y escribe las informaciones que recuerdes.**

Se llama...

c **Compara con un compañero. ¿Quién tiene más informaciones correctas?**

3 **Lee el texto y completa las frases con estas palabras.**

a
● colombianos   ● españoles   ● ecuatorianos   ● europeos   ● extranjeros   ● marroquíes   ● rumanos

1. Los extremeños son ....
2. Por continentes, los .... son el segundo grupo de extranjeros en Madrid.
3. El principal grupo extranjero en Madrid lo forman los ....
4. Los .... son el segundo grupo más numeroso.
5. Los .... son el principal grupo africano en Madrid.
6. Los .... son el grupo principal de la Europa del Este.
7. La mayoría de .... en Madrid son jóvenes.

Extranjeros en Madrid

En Madrid es fácil encontrar gente de todas partes de España. Gallegos, andaluces, asturianos, extremeños, manchegos... vienen a vivir y a trabajar a la capital de España. Pero no solo españoles; son también muchos los extranjeros que tienen Madrid como lugar de residencia y trabajo. Por continentes, el grupo más importante, por los lazos históricos y culturales con España, procede de Latinoamérica: Ecuador, Colombia, Perú, Argentina. En segundo lugar está Europa, y en tercer lugar, África. Asia, representada principalmente por los residentes chinos, ocupa el cuarto lugar. Por nacionalidades, los ecuatorianos son la nacionalidad extranjera más numerosa en Madrid, por delante de colombianos y marroquíes. También es importante la población de nacionales de algunos países de Europa del Este; los rumanos son el grupo más numeroso, seguidos de polacos y búlgaros. En general, la población extranjera en Madrid es muy joven, con una edad media de 30 años, y hay prácticamente el mismo número de hombres que de mujeres.

b **Relaciona las frases con las fotos. Ponle a cada foto el número correspondiente.**

1. Me llamo George Alexandru. Soy rumano y trabajo en la construcción.
2. Me llamo Yao. Soy china y trabajo como traductora.
3. Me llamo Elvy. Soy ecuatoriana y cuido a un matrimonio anciano.
4. Me llamo Fátima. Soy de Marruecos y soy cocinera en un restaurante.
5. Me llamo Marielka. Soy búlgara. Soy estudiante; estudio Derecho.

4

¿Tú o usted?

OBJETIVOS

- Dirigirse a alguien
- Saludar
- Responder a un saludo
- Presentar a alguien
- Responder a una presentación
- Preguntar por una persona
- Responder identificándose
- Pedir confirmación

1 **Observa los dibujos y responde a la pregunta.**

- ¿En qué situación existe una relación formal entre los personajes?

2 **Escucha y lee.**

1|33

1

- Buenos días, señora López. ¿Qué tal está?
- Muy bien, gracias. ¿Y usted?
- Bien también. Mire, le presento a la señorita Molina, la nueva secretaria. La señora López.
- Encantada.
- Mucho gusto.

2

- ¡Hola, Isabel! ¿Qué tal estás?
- Bien. ¿Y tú?
- Muy bien.
- Mira, este es Alberto, un amigo mío. Y esta es Ana, una compañera de trabajo.
- ¿Hola! ¿Qué tal?
- ¡Hola!

3 **En grupos de tres. Seguid los modelos anteriores y practicad:**

- Un diálogo informal; usad vuestros nombres.
- Un diálogo formal; usad vuestros apellidos.

4 Lee los diálogos y cópialos debajo del dibujo correspondiente.

a

1
- ¿Es usted la señorita Plaza?
- Sí, soy yo.

2
- Adiós, señorita Rubio.
- Hasta mañana, señor Costa.

3
- ¿El señor Cortés, por favor? Soy Antonio Gallego, de SDE.
- Un momento, por favor.

4
- Hola, buenos días, señor Sánchez.
- Buenos días, señora Durán.

A

....

....

B

....

....

C

....

....

D

....

....

b Escucha y comprueba.

1|34

5 **Observa de nuevo la actividad 4 y comenta con tu compañero.**

- ¿Cuándo se dice *el señor*, *la señora*, *la señorita*?
- ¿Y *señor*, *señora*, *señorita*?

6 **¿Qué dices en estas situaciones? Escríbelo debajo de cada dibujo. Observa las abreviaturas de *señor*, *señora* y *señorita*.**

7 **Ahora vosotros. En grupos de tres.**

- Alumno A: Eres la Sra. Salinas, directora de Motesa.
- Alumno B: Eres la Sra. Ruiz, secretaria de la Sra. Salinas.
- Alumno C: Eres el Sr. Puerta, cliente de Motesa.

La directora saluda al cliente y luego presenta a la secretaria y al cliente.

8 Fíjate. Después escribe las frases en la columna correspondiente.

Tú-Usted

Tú	Usted
¿Cómo **te** llam**as**?	¿Cómo **se** llama?
Estudi**as** español, ¿no?	Estudi**a** español, ¿no?
¿Tien**es** teléfono?	¿Tien**e** teléfono?
¿De dónde **eres**?	¿De dónde **es**?
¿Dónde viv**es**?	¿Dónde viv**e**?

- ¿Dónde trabajas?
- ¿Habla alemán?
- ¿Y usted?
- ¿Qué tal está?
- ¿Es usted la señorita Alonso?
- ¿Qué haces?

- Eres americano, ¿no?
- ¿Qué tal estás?
- ¿Qué estudia?
- Hablas francés, ¿no?
- ¿Eres estudiante?

Tú	Usted
¿Dónde trabajas?	

9 Escucha los cinco diálogos y marca *tú* o *usted*.

1|35

	Tú	Usted			Tú	Usted
1.	☐	☐		4.	☐	☐
2.	☐	☐		5.	☐	☐
3.	☐	☐				

10 Estás en una fiesta muy formal y no conoces a nadie. Hablas con algunas personas, te presentas y les preguntas sobre su nacionalidad, profesión, lenguas que hablan, el lugar donde viven...

11 **Lee el cómic y pregunta al profesor qué significa lo que no entiendas.**

a

EN LA PARADA DE ....

1 BUENOS DÍAS, SEÑORA IRENE.

BUENOS DÍAS, MERCEDES.

EN EL DESPACHO DE .... DONDE TRABAJA.

2 ¿TIENE UN MOMENTO PARA HABLAR DE UN CASO?

SÍ, CLARO.

EN UNA ....

3 BUENAS TARDES, ¿QUÉ DESEA?

UNOS PANTALONES.

EN UN ....

4 ¿QUÉ VAS A TOMAR?

UN CAFÉ CON LECHE.

EN EL ....

5 ¡UF!

¡VENGA, MERCHE, UN POCO MÁS!

EN SU ....

6 ¡HOLA, CARIÑO!

¡HOLA, MERCHE! ¿QUÉ TAL EL DÍA?

b **¿En qué situaciones se da un tratamiento formal? ¿E informal?**

c **Pregunta al profesor qué significan las palabras que no entiendas.**

- bar
- casa
- gimnasio
- autobús
- tienda
- abogados

d **Completa el cómic con ellas.**

e **En las viñetas 5 y 6, las personas que hablan con Mercedes tienen confianza o familiaridad con ella. ¿Cómo la llaman?**

f Compara los nombres de las dos columnas. Intenta relacionar cada nombre familiar con el nombre del que procede.

Nombres familiares	Nombres
• Pepe	Manuel
• Lola	Pilar
• Manolo	Dolores
• Paco	José
• Paca	Francisco
• Pili	Enrique
• Quique	Francisca

g ¿También se usan nombres familiares en tu lengua? ¿Puedes decir algunos?

Fonética
El sonido /r̄/

12
a Intenta decir estas palabras. ¿Qué tienen en común?

• Rosa   • Roma   • Enrique
• perro   • corre   • alrededor

b Escucha y repite.

🎧 1|36

c Pronuncia otra vez esas palabras.

d Fíjate en cómo se escribe el sonido /r̄/.

r	rr
• Al principio de una palabra. *Rico* • En el interior de una palabra, después de *l*, *n*, *s*. *Alrededor* *Enrique*	• Entre vocales. *Perro*

13 Ahora lee este trabalenguas en voz alta.

"El perro de Roque no tiene rabo porque Ramón Rodríguez se lo ha robado."

Uso de *tú*, *usted* y *vos*

1
a

Lee este texto sobre el uso de *tú*, *usted* y *vos*. Pregúntale al profesor qué significa lo que no entiendas.

En las relaciones formales se usa *usted* tanto en España como en Hispanoamérica. Sin embargo, en las relaciones informales o de confianza, en España se emplea más *tú*; en Hispanoamérica generalmente se usa mucho más *usted*. Además, el uso de *vos* está generalizado en varios países hispanoamericanos (Argentina, Uruguay y Paraguay son algunos de ellos). Las formas verbales del presente usadas con *vos* en estos países son similares al infinitivo. Aquí tienes algunos ejemplos:

Verbo		Vos
Hablar	→	hablás
Trabajar	→	trabajás
Estudiar	→	estudiás
Tener	→	tenés
Vivir	→	vivís
Ser	→	sos

Plaza de la Independencia, Quito.

Museo Guggenheim, Bilbao.

b **Lee de nuevo y responde a las preguntas.**

- ¿Qué se usa en México en las relaciones formales?
- ¿Qué se emplea en Hispanoamérica en las relaciones informales: *tú* o *usted*?
- ¿En qué tipo de relaciones se usa *vos*: en las formales o en las informales?
- ¿Con *vos* y con *tú* se usan las mismas formas verbales del presente?

Puerto Madero, Buenos Aires.

2 **Observa lo que se puede decir en la misma situación informal en diferentes países.**

¿Qué lenguas hablas?

¿Qué lenguas hablás?

España

¿Qué lenguas habla?

Argentina

Colombia

b **¿Qué crees que dice en esa situación un ecuatoriano? ¿Y una uruguaya?**

3 **Completa el cuadro con las frases correspondientes.**

Usted	Tú	Vos
¿Dónde estudia?		
	¿Qué teléfono tienes?	
		¿Trabajás en un hospital?
¿Usted es médico?		
	¿Vives en Caracas?	

Recuerda

COMUNICACIÓN

Dirigirse a alguien
- Formal: Buenos días, señora Herrero.
- Informal: Hola, Jorge.

Saludar
- Formal: ¿Qué tal está?
- Informal: ¿Qué tal (estás)?

Responder a un saludo
- Formal e informal: (Muy) Bien, gracias.

GRAMÁTICA

Pronombres personales sujeto
Tú, usted.
(Ver resumen gramatical, apartado 8.1)

COMUNICACIÓN

Presentar a alguien
- Formal: Mire, le presento a la señora Vela.
- Informal: Mira, esta es Luisa.

Responder a una presentación
- Formal e informal: Encantado/-a. / Mucho gusto.
- Informal: ¡Hola! (¿Qué tal?) / ¡Hola!

Preguntar por una persona
- ¿El señor Cortés, por favor?

Responder identificándose
- Hola, ¿eres Marta?
- Sí, soy yo.

Pedir confirmación
- Eres americano, ¿no?

GRAMÁTICA

Artículos determinados, singular
El, la.
(Ver resumen gramatical, apartado 4.1)
Al (a + el).
- Mire, le presento al señor Pérez.

Pronombres demostrativos, singular
Este, esta.
(Ver resumen gramatical, apartado 6.2)

Presente de indicativo

Verbo	Tú	Usted
SER	eres	es
ESTAR	estás	está
LLAMARSE	te llamas	se llama
HABLAR	hablas	habla
TRABAJAR	trabajas	trabaja
ESTUDIAR	estudias	estudia
VIVIR	vives	vive
TENER	tienes	tiene

1 ¿Tú o usted? Juego de diálogos. En grupos de cuatro (dos parejas). Cada pareja elige, por turnos, una
a forma verbal y representa un diálogo incluyéndola. Si lo hace correctamente, obtiene un punto.

habla   estás   haces   es   estudia   trabajas   tiene   vive   llamas   está

b ¿Qué pareja tiene más puntos?

2 La serpiente de la *r*. Busca palabras en la serpiente.
a

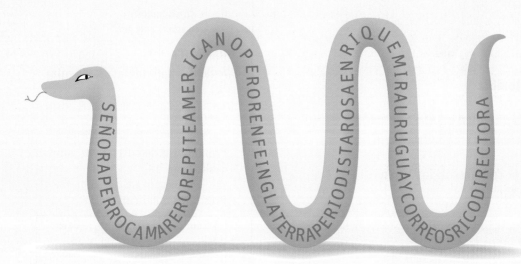

b Todas tienen la letra *r*. Escribe cada una de ellas en la columna correspondiente según su pronunciación.

/r/	/r̄/
señora	perro

c Añade otras palabras en cada columna. Puedes consultar el Libro del alumno.

d Díctaselas a un compañero para que las copie en la columna adecuada. ¿Coinciden vuestras columnas?

3 Los apellidos españoles. Lee el texto y subraya los apellidos.

a

LOS APELLIDOS EN ESPAÑA

En España, como en casi todos los países latinoamericanos, cada persona tiene dos apellidos: el primero del padre y el primero de la madre. Por ejemplo, si una persona se llama Carmen López Alonso, López es el primer apellido de su padre y Alonso es el primero de su madre. Otra peculiaridad es que las mujeres casadas conservan sus apellidos, no los cambian por los del marido.

En la vida social y profesional usamos generalmente el primero, pero si es un apellido muy frecuente (García, por ejemplo) podemos usar también el segundo (García Aranda) o incluso solo el segundo (Aranda). También usamos los dos apellidos en los documentos: documento nacional de identidad, pasaporte, carné de conducir, etc.

Por último, los cinco apellidos más frecuentes en España son: García, González, Fernández, Rodríguez y López, en este orden. García es el primer apellido de un millón y medio de españoles. Para otro millón y medio es el segundo.

Instituto Nacional de Estadística

b Lee de nuevo y subraya la opción correcta.

1. El primer apellido de una española es el primero **de la madre/del padre**.
2. Las mujeres casadas **tienen/no tienen** el apellido del marido.
3. Normalmente, en la vida profesional decimos **un apellido/dos apellidos**.
4. En un pasaporte español podemos leer **un apellido/dos apellidos**.
5. El apellido más popular en España es **García/López**.
6. Ese es el apellido de **tres millones/un millón y medio** de españoles.

4 Juego de memoria. Cierra el libro y escribe los apellidos que recuerdes.

a

García...

b Compara con tu compañero. ¿Quién tiene más apellidos correctos? Podéis ver el texto.

c Comenta con tus compañeros.

- ¿Cuántos apellidos se usan normalmente en tu país?
- ¿Una mujer casada tiene el apellido del marido?
- ¿Puedes decir algunos apellidos muy populares en tu país?

5 Mi familia

OBJETIVOS

- Pedir y dar información sobre la familia
- Pedir y dar información sobre el estado civil
- Pedir y dar información sobre la edad
- Describir físicamente a una persona
- Hablar del carácter de una persona
- Identificar a una persona
- Agradecer

1 Mira este dibujo de la familia Chicote y lee las frases que hay a continuación. Subraya los nombres de parentesco y tradúcelos a tu lengua.

JUAN   MARTA   GLORIA   ANA   PABLO   CARLOS   IRENE

FELIPE   MERCEDES

- La mujer de Pablo se llama Ana.
- Carlos es hijo de Ana.
- Marta y Gloria son hermanas de Carlos.
- Gloria es tía de Mercedes.

- Felipe es sobrino de Carlos y Gloria.
- El nieto de Ana se llama Felipe.
- Pablo es abuelo de Mercedes y Felipe.
- El padre de Felipe y Mercedes se llama Juan.

2 Fíjate.

Artículo determinado

	Masculino			Femenino	
el	padre marido esposo hijo hermano tío	sobrino abuelo nieto primo novio	la	madre mujer esposa hija hermana tía	sobrina abuela nieta prima novia

3 **Di el nombre de estos miembros de la familia Chicote.**

a

- Es el marido de Ana.
- Es la madre de Mercedes.

- Es la abuela de Felipe.
- Tiene dos hermanas.

b **Escribe algunas frases y léeselas a tu compañero. ¿Sabe quién es?**

- Es la hermana de Gloria.
- Marta.

4 **Lee el texto y completa el árbol familiar con los nombres.**

Antonio y Lucía tienen un hijo, Ángel, que es el mayor, y dos hijas, Carmen y Sara. Ángel y Sara están solteros. En cambio, Carmen está casada con Diego y tienen un hijo, Javier, y una hija, Julia, que son sobrinos de Ángel y Sara.

- Ángel - Julia - Lucía - Javier - Carmen - Sara - Diego

Antonio

5 **Escucha y di qué miembro de la familia de la actividad anterior está hablando.**

1|37

6 **Escucha y lee. ¿Entiendes todo?**

🎧
1|38

Encuestadora	¿Estás casado?
Ramón	Sí.
Encuestadora	¿A qué te dedicas?
Ramón	Soy ingeniero.
Encuestadora	¿Y tu mujer?
Ramón	Es azafata.
Encuestadora	¿Tenéis hijos?
Ramón	Sí, tenemos una hija.
Encuestadora	¿Cuántos años tiene?
Ramón	Tres.
Encuestadora	¿Tienes hermanos?
Ramón	Un hermano y una hermana.
Encuestadora	¿Y a qué se dedican?
Ramón	Estudian periodismo los dos.
Encuestadora	¿Y tus padres?
Ramón	Mi padre es abogado, y mi madre, enfermera.
Encuestadora	Muchas gracias.

Fonética

Entonación

7 **Intenta decirlo.**

a

- ¿A qué te dedicas?
- ¿Y tu mujer?
- ¿Tenéis hijos?
- Tenemos una hija.
- ¿Cuántos años tiene tu hija?
- ¿Tienes hermanos?

b **Escucha y comprueba.**

🎧
1|39

8 **Escribe las formas verbales en presente de indicativo que faltan.**

Singular	Plural
tengo	tenemos
tienes	....
tiene	....
es	....
está	....
estudia	....
se dedica	....

9 Escucha esta entrevista para una encuesta y completa la ficha.

1|40

FICHA DE ENCUESTA	
Estado civil	Casada
Número de hijos	
hijas	
Profesión	Maestra
Profesión del marido	
de la mujer	
Profesión de los hijos	
de las hijas	
Número de hermanos	
hermanas	Dos
Profesión de los hermanos	
de las hermanas	
Profesión del padre	Está jubilado.
de la madre	

10
a Haz una ficha como la de la actividad anterior y complétala. Anota también tu edad y la de tus familiares. Puedes usar el diccionario.

b Haz preguntas a tu compañero sobre él y su familia. Escribe sus respuestas en un papel.

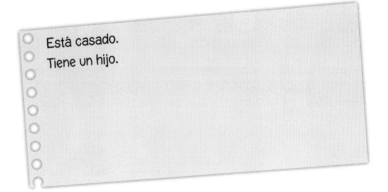

- ¿Estás casado?
- Sí.
- ¿Tienes hijos?
- Sí, un hijo.

Está casado.
Tiene un hijo.

c Dale el papel con las respuestas al profesor y pídele el papel de otro compañero.

d Lee en voz alta el papel que te ha dado el profesor hasta que otro alumno reconozca a su familia.

- Está casado, es profesor y tiene un hijo de 8 años. Tiene una hermana de 29 años. Su mujer es periodista…
- Soy yo.

Descripción de personas

11 a Lee estas palabras. ¿Las entiendes?

GORDO DELGADO

MORENO RUBIO

GUAPO FEO

ALTO BAJO JOVEN VIEJO

BIGOTE PELO CORTO

PELO RIZADO Gafas

PELO LARGO OJOS NEGROS

PELO LISO

OJOS AZULES OJOS MARRONES OJOS VERDES

CALVO Barba

b Usa las palabras necesarias para describir a estas dos personas.

- alta, ...
- bajo, ...

12 Relaciona las descripciones con las fotos.

A Penélope Cruz, actriz

B Rafael Nadal, tenista

C Isabel Allende, escritora

D Federico Luppi, actor

1 Es bastante joven, fuerte y atractivo. Es moreno, tiene el pelo castaño y largo, y tiene los ojos marrones.

2 Es alto y bastante guapo. Tiene el pelo blanco y liso. Es un poco viejo y lleva bigote.

3 Tiene el pelo castaño, liso y muy largo. Es delgada y muy atractiva. Tiene los ojos marrones.

4 De pelo castaño y liso, tiene los ojos oscuros y grandes. Es alta, no es gorda ni delgada, y no es joven.

13 Escribe las palabras de la actividad 11 en la columna correspondiente.

a

Es	Tiene	Lleva
joven	ojos marrones	gafas

b Describe a una persona de la clase y no digas su nombre. ¿Saben tus compañeros quién es?

14 Lee este titular de un periódico.

a

CARMEN ALEGRE, la mujer del famoso industrial Roberto Duros, abandona a su marido
El mayordomo, testigo de la fuga

b Ahora escucha la conversación entre Roberto y el mayordomo y di cuál de estos cuatro hombres es el amigo de Carmen.

1|41

c Piensa en una persona del apartado anterior y descríbesela a tu compañero. ¿Sabe quién es?

15 Lee estas palabras y pregúntale al profesor qué significan.

a

● inteligente ● tonto ● tímido ● simpático ● gracioso ● alegre ● antipático ● serio ● sociable ● trabajador

b Di el femenino de cada una de ellas.

    inteligente → inteligente   tonto → tonta

c Forma cuatro parejas de contrarios.

    inteligente ≠ tonto

16 Piensa en famosos de tu país o extranjeros e intenta completar el cuadro con sus nombres.

Una cantante simpática	
Un deportista muy trabajador	
Una actriz graciosa	
Un político inteligente	
Un escritor o director de cine serio	
Un actor antipático	

17 Elige uno de los famosos de la actividad anterior o piensa en otro que puedas describir con palabras
a de la actividad 15.

b Ahora descríbeselo a tus compañeros para ver si saben quién es. Háblales de:

● su profesión   ● su nacionalidad   ● su carácter   ● su aspecto

¿Saben quién es?

● Es un deportista español. Es moreno y no es ni alto ni bajo. Es joven, guapo, bastante serio y muy trabajador.
○ ¿Es tenista?
● No.
■ ¿Es un futbolista?
● No.
□ ¿Es un piloto de carreras?
● Sí.
□ ¿Es Fernando Alonso?
● Sí.

18 **Enseña una foto de tu familia a tu compañero. Explícale quién es, a qué se dedica y cómo es cada uno de tus familiares.**

● Mira, una foto de mi familia.
○ A ver...
● Esta es...
○ Y este, ¿quién es?

19 **Escribe un correo electrónico.**

Paco, un estudiante español, va a pasar unos días en tu casa. Tú le escribes un correo electrónico y le hablas de tu familia: le presentas y le describes a cada uno de los familiares que viven contigo.

Para:	paco.vel@hispania.net
Cc:	
Cco:	
Asunto:	Mi familia

Hola, Paco:

Muchas gracias por tu correo. Me alegra saber que vienes a mi casa el próximo verano.

Voy a hablarte de mi familia. Está formada por...

La población de América Latina

1
a Busca en el diccionario estas palabras, que sirven para hablar de los habitantes de América Latina.

> indio/-a blanco/-a mestizo/-a mulato/-a negro/-a

b Relaciónalas con las fotos.

1 → mestiza

2
a Lee este texto. Puedes usar el diccionario.

LA POBLACIÓN DE AMÉRICA LATINA

La población de América Latina está aumentando mucho y es muy joven: más de la tercera parte de sus habitantes tiene menos de 15 años. Es de diferentes razas y podemos distinguir los siguientes grupos:

Los indios americanos, de origen asiático (pasaron de Asia a América por el estrecho de Bering). En países como Guatemala, Ecuador, Perú, Bo-livia o México son una parte importante de la población.

Los blancos, de origen euro-peo. En Uruguay, Chile, Argen-tina o Costa Rica forman una gran mayoría.

Los mestizos, mezcla de indio y blanco, son el grupo mayoritario en muchos países de América Latina: en Honduras, El Salvador, México, Nicaragua, Paraguay y Venezuela, por ejemplo.

Los negros, llevados desde África durante más de 300 años para trabajar como escla-vos. Viven principalmente en Cuba, Puerto Rico, República Dominicana, Panamá, Colom-bia y Venezuela.

Los mulatos, mezcla de negro y blanco, viven en los mismos países que la pobla-ción negra.

b **¿Verdadero o falso?**

	V	F
1. En América Latina hay muchos niños.	☐	☐
2. Los indios que viven en América Latina son de origen americano.	☐	☐
3. Los padres de una mestiza son de origen indio y blanco.	☐	☐
4. La mayoría de las argentinas son negras.	☐	☐
5. Los latinoamericanos negros son de origen estadounidense.	☐	☐
6. En Cuba hay muchos mulatos.	☐	☐

4

5

c **Comenta con tus compañeros las informaciones que te parezcan más interesantes.**

Recuerda

COMUNICACIÓN

Pedir y dar información sobre:

El estado civil
- ¿Estás casado?
- No. (Estoy) Soltero. / Sí.

La familia
- ¿Tienes hermanos?
- Sí, una hermana. / No.

La edad
- ¿Cuántos años tiene tu hijo?
- Cuatro.

GRAMÁTICA

Presente de indicativo: *estar* **y** *tener*

(Ver resumen gramatical, apartados 7.1.2.1 y 7.1.2.5)

COMUNICACIÓN

Describir físicamente a una persona
- ¿Cómo es tu profesor?
- Es alto, tiene los ojos negros y lleva barba.

Hablar del carácter de una persona
- Mi hija Lucía es muy simpática y mi hijo Luis es bastante tímido.

Identificar a una persona
- ¿Quién es este?
- (Es) Mi hermano mayor.

GRAMÁTICA

El número gramatical: sustantivos y adjetivos calificativos

Singular	Plural
-o (sobrino)	*-os* (sobrinos)
-a (alta)	*-as* (altas)

(Ver resumen gramatical, apartados 2.2 y 3.2)

Posesivos

Mi(s), tu(s), su(s).

(Ver resumen gramatical, apartado 5.1)

Concordancia adjetivo-sustantivo: genero y número
- Mi hermano/-a es muy guapo/-a.
- Mis hermanos/-as son muy guapos/-as.

Interrogativos

¿Quién?, ¿cuántos/-as?, ¿cómo?

(Ver resumen gramatical, apartados 9.1, 9.6.2 y 9.7.1)

Muy, bastante.

(Ver resumen gramatical, apartado 16)

COMUNICACIÓN

Agradecer
- (Muchas) Gracias.

Materiales complementarios

1 Lee y pregunta al profesor qué significa lo que no entiendas. Luego, completa el cuadro con palabras de los textos.

Nosotros vivimos en pareja desde el año pasado. No estamos casados y no tenemos hijos... de momento.

Yo vivo con mi familia, que está formada por mis padres, dos hermanos más pequeños y yo, que soy la hija mayor.

Yo estoy divorciada de mi exmarido y vivo con mi actual pareja, una hija suya de 14 años y un hijo mío de 11.

Yo vivo solo, pero en julio me voy a casar con mi novia y vamos a vivir juntos. Ahora ella vive con unas amigas en un piso compartido.

Estados civiles	Relaciones familiares	Formas de vivir
casados	hijos	en pareja

2
a Lee este texto. Puedes usar el diccionario.

LA FAMILIA EN ESPAÑA

La familia es la institución mejor valorada por los españoles en las encuestas, pero ha experimentado una gran transformación en los últimos treinta años. Desde la legalización del divorcio en 1981 ha habido muchos cambios: existe la familia clásica, pero también otros modelos de familia como son los formados por madres o padres separados con sus hijos, por segundas parejas, por parejas de diferentes nacionalidades, por personas no casadas, etc.

La familia clásica, compuesta por un hombre y una mujer casados, con o sin hijos, es el modelo mayoritario (el 45,6 % de las familias). Además, más de un millón de personas viven en pareja sin estar casadas y uno de cada cinco niños nace fuera del matrimonio.

En casi medio millón de casas viven una persona divorciada –mujer en un 87 %– y sus hijos. Tres millones de españoles viven solos y son cada vez más frecuentes los matrimonios entre personas de diferentes nacionalidades o grupos étnicos (el 13,2 %).

¿Las causas de estos cambios? Algunas de las más importantes: ahora vivimos más años, la mujer trabaja fuera de casa y es más independiente, y hay más tolerancia hacia las libertades personales.

Instituto Nacional de Estadística

b Asegúrate de que entiendes estas frases y subraya la opción correcta.

1. Los españoles tienen una idea muy **negativa/positiva** de la familia.
2. En España, el divorcio ha sido **legal/ilegal** los últimos veinticinco años.
3. Ahora los modelos de familia son **más/menos** tradicionales.
4. La familia clásica es la **más/menos** popular en España.
5. Más de un millón de personas solteras viven **solas/juntas**.
6. El 20 % de los niños que nacen son hijos de padres **solteros/casados**.
7. Ahora los españoles se casan **más/menos** con personas extranjeras.
8. La mujer tiene **más/menos** independencia económica ahora.

c ¿Crees que en tu país la familia es como en España? ¿Qué diferencias hay? Coméntalo con tus compañeros.

Repaso 1

Una noticia

1 **Busca en esta noticia del periódico la información pedida y escríbela.**

a

> Juan Manuel Rojo es un empresario uruguayo afincado en Valencia que solo da trabajo a personas mayores de 50 años, a jóvenes en busca de su primer empleo y a padres o madres de familias con más de cuatro hijos.
>
> Su empresa, creada en 1984, está dedicada a la fabricación de bicicletas, con resultados "óptimos".
>
> Otra particularidad de la empresa es que todo trabajador que deja de fumar ve incrementado su salario en un 5 %.

un nombre de persona	el nombre de una ciudad	un apellido	una nacionalidad
Juan Manuel	....	....	....

una profesión	tres palabras relacionadas con la familia	un lugar de trabajo
....	....	....

b **Escucha a dos amigos comentar esa noticia y numera las palabras de tu lista que oigas.**

🎧 1|42

Cuestión de lógica

2 **Lee este anuncio del periódico y calcula la edad de cada persona.**

a

GANA
¡Un viaje de tres días para dos personas A PARÍS con todo pagado!

EL PROBLEMA ES EL SIGUIENTE:
- Elena, Carmen y Julio son hermanos.
- Carmen es la mayor.
- Elena tiene 59 años.
- Julio tiene 8 años más que Elena.
- La diferencia entre Carmen y Elena es de 12 años.

Telefonea el lunes a las cinco de la tarde al programa *Lo sé* de **Radio Cero** (tel: 93 435 12 15), di la edad exacta de estas personas y gana.

b **Escucha y comprueba.**

🎧 1|43

c **Escucha de nuevo y responde a estas preguntas sobre el ganador.**

🎧 1|44
- ¿Cómo se llama?
- ¿Cuántos años tiene?
- ¿De dónde es?
- ¿Está casado?

Palabras, palabras

3 **Busca en las lecciones 1-5 y escribe:**

a
- Seis palabras que sean parecidas en tu lengua.
- Seis palabras que te gusten.
- Las seis palabras que usas con más frecuencia.

b **Compara con tu compañero. ¿Coincide alguna?**

Juego de contrarios

4 **En parejas. Elige, por turnos, una de estas palabras y dísela a tu compañero. Él tiene que decir lo**
a **contrario. Si está bien, obtiene un punto. Gana el que obtiene más puntos.**

- viejos
- hombre
- casado
- sí
- corto
- menos
- bien
- simpática
- rápido
- grande
- guapo
- seria
- inteligentes
- delgadas
- menor

Las tres en raya

5 **En grupos de tres. Por turnos, cada alumno elige una frase y hace la pregunta correspondiente. Si está bien, escribe su nombre en esa casilla. Gana el que obtiene tres casillas en raya.**

Sí, dos hermanos.	No sé.	Medicina.	Alto y lleva barba.	Hablo inglés y alemán.
De Málaga.	No.	Inglés y ruso.	Es suizo.	91 258 40 48.
Estudio.	En la calle Jardines.	Gloria.	En una oficina.	Bien, gracias. ¿Y usted?
Fernández.	Sí, un hijo y una hija.	25.	T-O-N-T-O.	Es maestra.

Un escritor famoso

6
a ¿Sabes quién es Mario Vargas Llosa? Díselo a la clase.

b Lee este texto sobre él y comprueba.

Mario Vargas Llosa, premio nobel de literatura 2010, es peruano y tiene también la nacionalidad española. Es escritor y académico, y escribe novelas, ensayos, obras de teatro y artículos de prensa para diferentes periódicos y revistas. Tiene más de 70 años, está casado y tiene dos hijos y una hija. De pelo gris y liso, es alto y fuerte, y tiene los ojos marrones.

c Ahora subraya la opción correcta.

1. Mario Vargas Llosa es **sudamericano/norteamericano**.
2. **Es/No es** joven.
3. Tiene **una profesión/varias profesiones**.
4. Escribe para **un periódico/varios periódicos**.
5. Está **soltero/casado**.
6. **Es/No es** rubio.

Con un compañero

7 **a** Elige a un compañero al que no conozcas mucho y hazle preguntas para rellenar esta ficha con su información.

Nombre		
Apellido		
Domicilio		
Edad		
Estado civil		
Profesión		
Lugar de trabajo		
Estudios		
Hermanos	número	
	profesión	
Hermanas	número	
	profesión	
Hijos		
Hijas		

b Usa la información de la ficha y escribe sobre tu compañero. Describe también su carácter y cómo es físicamente.

c Pasa el texto a tu compañero y corrige el suyo.

d Comentad los posibles errores y corregidlos.

e En grupos de tres. Un alumno dice durante un minuto la información que tiene sobre su compañero. Si comete un error, los otros dos alumnos le dicen "¡Para!" y continúa uno de ellos. Gana el que está hablando cuando termina el minuto.

f Entrega a tu profesor el texto que has escrito para que lo ponga en una pared de la clase.

6

Objetos

OBJETIVOS

- Expresar existencia
- Pedir cosas en una tienda
- Preguntar y decir cuál es la moneda de un país
- Preguntar el precio

1 Busca en el diccionario cuatro palabras que no conozcas.

a
- un ordenador
- una mesa
- unos sobres
- unos libros
- una silla

- unos sellos
- un bolso
- una agenda
- un periódico
- unas llaves

- una postal
- un diccionario
- unos bolígrafos
- un cuaderno
- una lámpara

- unas cartas
- una goma (de borrar)
- una hoja de papel
- un mapa
- un teléfono móvil

b Pregunta a tus compañeros por el resto.

- ¿Cómo se dice... en...?
- ....
  No sé.

2 Observa el dibujo y escribe la palabra correspondiente a cada número.

1 → mesa

Fonética
¿Cuántas sílabas tiene cada palabra?

3
a
🎧 1|45

Escucha las palabras y escríbelas en la columna correspondiente.

me sa	a gen da	pe rió di co

b Escucha y comprueba.
🎧 1|46

c Escucha y repite.
🎧 1|47

4 Fíjate.

Expresar existencia

Hay	un periódico. unos sobres. una agenda. unas cartas. unas postales.

5 ¿Tienes buena memoria? Tapa el dibujo de la actividad 2 y di qué hay en la mesa.

Hay un mapa.
Hay unos bolígrafos.

Números

6 Escucha e identifica los números
a
🎧 1|48

100 cien	101 ciento uno	200 doscientos	210 doscientos diez
300 trescientos	321 trescientos veintiuno	400 cuatrocientos	432 cuatrocientos treinta y dos
500 quinientos	543 quinientos cuarenta y tres	600 seiscientos	654 seiscientos cincuenta y cuatro
700 setecientos	765 setecientos sesenta y cinco	800 ochocientos	876 ochocientos setenta y seis
900 novecientos	987 novecientos ochenta y siete	1000 mil	1098 mil noventa y ocho
1100 mil cien	1102 mil ciento dos	2000 dos mil	2323 dos mil trescientos veintitrés
3000 tres mil	3544 tres mil quinientos cuarenta y cuatro		

b Escucha y repite.
🎧 1|49

c Di estos números en voz alta:

103   215   562   741   954
1035   2103   5374   6599   9953

d ¿Qué diferencias hay con tu lengua?

7 **Escucha los diálogos y marca los números que oigas.**

A. 270 ☐ 127 ☐   C. 912 ☐ 92 ☐   E. 500 ☐ 50 ☐

B. 130 ☐ 1300 ☐   D. 66 ☐ 616 ☐

8 **Pasa la pelota. Piensa un número y dilo en voz alta. Después pasa la pelota a un compañero. El que la reciba tiene que invertir el orden de las cifras.**

417   714

9 **Observa estos billetes y monedas. ¿Cuántos euros hay?**

10 **Mira esta lista y responde a las preguntas.**

a

DIVISAS EN EL MUNDO

Moneda	Comprador	Vendedor	Moneda	Comprador	Vendedor
Bolívares venezolanos	6,2023	6,1867	Dólares neozelandeses	1,8445	1,8437
Coronas checas	24,4760	24,4360	Forintos húngaros	263,8100	263,3200
Coronas danesas	7,4576	7,4574	Francos suizos	1,3144	1,3142
Coronas eslovacas	30,1260	30,1260	Lats letones	0,7105	0,7082
Coronas estonas	15,6466	15,6466	Libras esterlinas	0,8824	0,8823
Coronas islandesas	162,6200	162,1000	Litas lituanas	3,4547	3,4513
Coronas noruegas	7,7950	7,7903	Pesos argentinos	5,8459	5,8397
Coronas suecas	8,9709	8,9677	Pesos mexicanos	16,9338	16,9285
Dirhams marroquíes	11 ,3427	11,3140	Rands surafricanos	9,6011	9,5931
Dólares australianos	1,3691	1,3687	Reales brasileños	2,2746	2,2731
Dólares canadienses	1,3800	1,3796	Rublos rusos	40,4674	40,3997
Dólares de Hong Kong	11,2021	11,2011	Rupias indias	63,6121	63,5110
Dólares de Singapur	1,8134	1,8127	Yenes japoneses	122,6000	122,5900
Dólares de EE. UU.	1,4423	1,4422	Zlotys polacos	3,9614	3,9570

Unidades por cada euro a las 18.00 horas.

• ¿Cuál es la moneda de tu país?   • ¿Está en la lista?

b **Pregunta a tu compañero cuál es la moneda de su país.**

11 Mira las fotos y escribe en qué tiendas venden libros, sellos y bolígrafos.

a
librería   papelería   estanco

En una librería venden libros.

b ¿Qué otras cosas venden en esas tiendas? Dilas.

12 Escucha y lee.

a

Cliente	¿Tienen cuadernos?
Dependiente	Sí. Mire, aquí están. Tenemos todos estos.
Cliente	¿Puedo ver ese rojo?
Dependiente	¿Este?
Cliente	Sí, sí, ese. ¿Cuánto cuesta?
Dependiente	Un euro con setenta y cinco céntimos.
Cliente	Vale. Me lo llevo.

1|51

b Practica el diálogo con tu compañero.

13 **Fíjate.**

Demostrativos

	Masculino	Femenino
Singular	**este** • Este bolso	**esta** • Esta revista
Plural	**estos** • Estos bolsos	**estas** • Estas revistas

	Masculino	Femenino
Singular	**ese** • Ese diccionario	**esa** • Esa agenda
Plural	**esos** • Esos diccionarios	**esas** • Esas agendas

14 **Observa los dibujos y escribe cada frase en la burbuja correspondiente. Mira el modelo.**

Sí, esas.
¿Estas?
¿Puedo ver esas gafas negras?

¿Este?
Cincuenta y ocho euros con noventa y nueve céntimos.
¿Cuánto cuesta ese reloj?
Sí.

15 Escucha los dos diálogos y completa el cuadro.

🎧 1|52

	¿Qué quiere?	¿Cuánto cuesta?	¿Lo compra?
1.			
2.			

16 Ahora vosotros.

> **Alumno A**
>
> Estás en una papelería y quieres comprar dos cosas, pero solo tienes 10 euros. Decide qué vas a comprar.

> **Alumno B**
>
> Eres el dependiente de una papelería. Piensa en las cosas que vendes y en sus precios. Luego, atiende a los clientes.

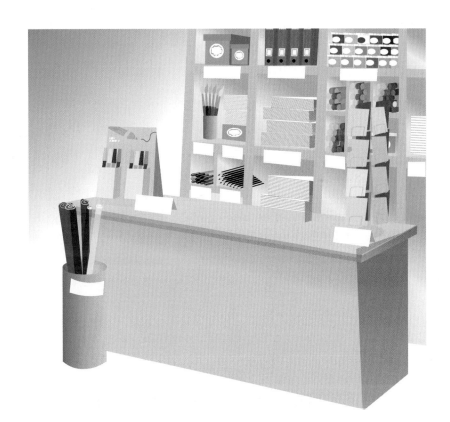

Podéis empezar así:

- • Buenos días. ¿Qué desea?
- ○ Buenos días. ¿Tienen...? / Quiero...

Los mercados de artesanía de Perú

1 a ¿Sabes qué significa la palabra *mercado*? Observa las fotos y luego lee el texto; puedes usar el diccionario.

En Perú hay una gran cantidad de mercados de artesanía del país. Muchos de ellos están en la calle. Son muy populares, están abiertos de 9.00 a 21.00 y son de origen prehispánico. En ellos venden artesanía contemporánea y reproducciones de objetos tradicionales de las diferentes civilizaciones prehispánicas de Perú, por ejemplo, de la cultura inca (años 1100-1530 d. C.).

La artesanía peruana tiene influencias prehispánicas y españolas. Es muy variada, de colores muy vivos y muy creativa. Allí se puede comprar, entre otras cosas:

- Cerámica de estilo moderno o antiguo.
- Jerséis y ponchos peruanos de muchos colores.
- Objetos de oro y plata.
- Flautas andinas, uno de los mayores símbolos de Perú.

oro

cerámica

plata

torito de Pucará

jersey

poncho peruano

flauta andina

Recuerda

COMUNICACIÓN

Expresar existencia
- Hay una revista.
- Hay unos libros.

GRAMÁTICA

Artículos indeterminados, singular y plural
Un, una, unos, unas.

(Ver resumen gramatical, apartado 4.2)

Hay + *un/una/unos/unas* + **sustantivo**
- Hay un bolso.
- Hay una postal.
- Hay unos ponchos.
- Hay unas llaves.

(Ver resumen gramatical, apartado 10.1)

COMUNICACIÓN

Pedir cosas en una tienda
- Quiero/Quería una agenda.
- ¿Tienen agendas?
- ¿Puedo ver esa agenda?

GRAMÁTICA

Adjetivos y pronombres demostrativos

	Masculino	Femenino
Singular	este, ese	esta, esa
Plural	estos, esos	estas, esas

- ¿Cuánto cuesta este bolígrafo?
- ¿Cuánto cuesta este?

(Ver resumen gramatical, apartados 6.1 y 6.2)

COMUNICACIÓN

Preguntar y decir cuál es la moneda de un país
- ¿Cuál es la moneda de tu país?
- El dólar.

Preguntar el precio
- ¿Cuánto cuesta este diccionario?
- ¿Cuánto cuestan estas gafas?

GRAMÁTICA

Interrogativos
¿Cuál?, ¿cuánto?

(Ver resumen gramatical, apartados 9.3 y 9.6.1)

b **¿Verdadero o falso?**

	V	F
1. Los mercados de artesanía tienen origen español.	☐	☐
2. Todos están en la calle.	☐	☐
3. Allí solo se pueden comprar cosas antiguas.	☐	☐
4. La artesanía peruana tiene influencias de la civilización inca.	☐	☐

c **¿Qué es lo que te parece más interesante? Coméntalo con tus compañeros.**

1 **Juega al dominó.**

- En grupos de cuatro. Cada alumno toma siete fichas sin verlas.
- Empieza a jugar el que tiene la ficha donde se lee "un sobre". La pone en la mesa y luego dice lo que hay dibujado en ella ("una llave").
- El jugador que tiene la ficha donde se lee "una llave" pone esa ficha en la mesa y dice lo que hay dibujado en ella ("un libro").
- Si un alumno no recuerda una palabra, pierde un punto. Gana el que pierde menos puntos.

2 Un juego con euros. Elige cuatro monedas y cuatro billetes y escríbelos.

a

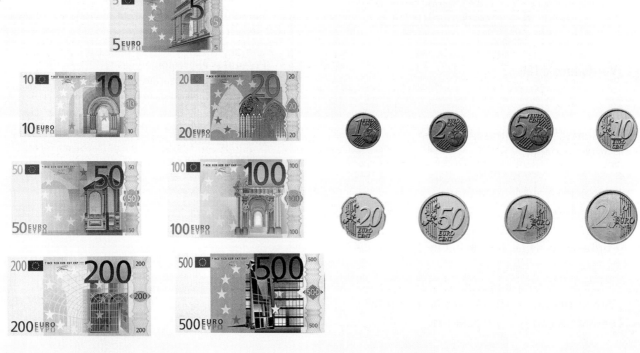

(Una moneda de diez céntimos).
(Un billete de veinte euros).

b **¿Cuáles crees que ha elegido tu compañero? Díselo y anótate un punto por cada acierto.**

- Una moneda de cincuenta céntimos.
- No.

c **¿Quién tiene más puntos?**

d **Suma el valor de las monedas y billetes que has elegido en el apartado a). ¿Tienes más dinero que tu compañero?**

3 **Juego en cadena. En grupos de cuatro. Por turnos, un alumno dice que tiene una cosa. El compañero de la derecha repite todo lo que ha oído y añade otra cosa que tiene. El juego termina cuando un alumno no repite todo correctamente o no añade algo correcto.**

b **¿Qué grupo ha encadenado más cosas?**

7 Mi pueblo, mi ciudad

OBJETIVOS

- Hablar de la situación geográfica de una población
- Describir una población
- Hablar del número de habitantes
- Preguntar y decir cuál es la capital de un país
- Expresar la causa

1

a ¿Verdadero o falso? Observa los mapas, lee las frases y señala si son verdaderas o falsas.

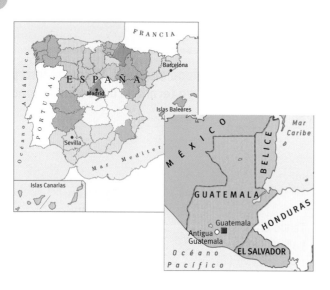

	V	F
1. Madrid está en el centro de España.	☐	☐
2. Sevilla está al sur de Madrid.	☐	☐
3. Barcelona está al noroeste de Sevilla.	☐	☐
4. Guatemala está entre México y Honduras.	☐	☐
5. Antigua está en el norte del país (Guatemala).	☐	☐
6. El Salvador está al sureste de Guatemala.	☐	☐

b Mira las fotos de las ciudades de Barcelona y Antigua. ¿Qué puedes decir de ellas? Busca en el diccionario palabras para describirlas.

c Relaciona las fotos con los siguientes textos.

Es una ciudad muy bonita y tranquila que está en el sur del país y muy cerca del océano Pacífico. Es bastante pequeña, pero tiene muchos monumentos históricos de un gran valor artístico. Hay muchas tiendas para comprar recuerdos porque es una ciudad turística. ☐

Está en el noreste de España, no muy lejos de Francia, en la costa mediterránea. Tiene un puerto importante y playa. Es una ciudad de origen antiguo, pero también es muy moderna y dinámica. Es muy grande y tiene monumentos y museos que son famosos en el mundo entero. ☐

2 En parejas [A-B]. Escribid en cada caso el nombre de una ciudad que tenga esa característica.

a

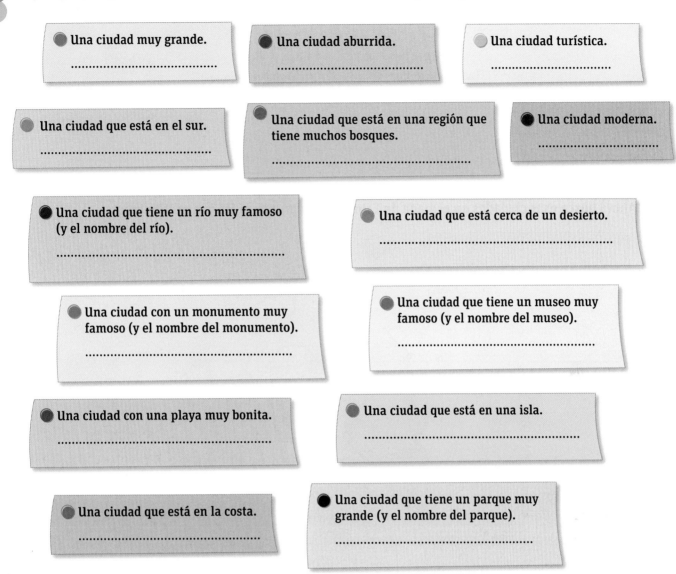

- Una ciudad muy grande.
  ....

- Una ciudad aburrida.
  ....

- Una ciudad turística.
  ....

- Una ciudad que está en el sur.
  ....

- Una ciudad que está en una región que tiene muchos bosques.
  ....

- Una ciudad moderna.
  ....

- Una ciudad que tiene un río muy famoso (y el nombre del río).
  ....

- Una ciudad que está cerca de un desierto.
  ....

- Una ciudad con un monumento muy famoso (y el nombre del monumento).
  ....

- Una ciudad que tiene un museo muy famoso (y el nombre del museo).
  ....

- Una ciudad con una playa muy bonita.
  ....

- Una ciudad que está en una isla.
  ....

- Una ciudad que está en la costa.
  ....

- Una ciudad que tiene un parque muy grande (y el nombre del parque).
  ....

b Después, cambiad de parejas [A-A / B-B]. Explicadles a vuestros compañeros qué nombres habéis escrito.

3 Fíjate.

Ser-Estar

Ser: descripción de lugares
¿Cómo es?
- Barcelona es muy moderna y dinámica.
- Antigua es una ciudad pequeña y tranquila.

Estar: localización en el espacio
¿Dónde está?
- Barcelona está en el noreste de España.
- Antigua está en el sur del país, cerca del océano Pacífico.

Fonética

4 Escucha estos nombres de ciudades españolas y escríbelos en la columna correspondiente.

a

🎧 1|53

/θ/ (za-ce-ci-zo-zu)	/k/ (ca-que-qui-co-cu)
Zamora	Mallorca ......

b Ahora busca esas ciudades en el mapa de España y comprueba si las has escrito bien.

c Escucha y repite.

🎧 1|54

5 ¿Dónde está?... Elige tres ciudades del mapa y pregunta a tu compañero dónde están. Tiene un minuto para buscar cada una de ellas y responder correctamente.

● ¿Dónde está Alicante?
○ Está en el sureste de España, en la costa mediterránea, al sur de Valencia.
● Sí.

setenta y seis **76**

6
a

¿*Ser* o *estar*? Completa estas frases con la forma verbal adecuada.

1. ....Es....... muy antigua.
2. .... en el sur de España.
3. .... cerca de Sevilla.
4. No .... una ciudad muy importante.
5. .... en la costa atlántica.
6. .... famosa por sus playas.
7. .... lejos de Madrid.
8. .... bastante pequeña.
9. No .... en el centro de España.

b **Mira otra vez el mapa de España y di qué ciudad puede ser.**

7 **En grupos de tres o cuatro. Un alumno piensa en una ciudad, y los otros le hacen preguntas para adivinar cuál es. Él solamente puede responder "sí" o "no".**

● ¿Está en Europa?
○ Sí.
■ ¿Está en el norte de Europa?
○ No.
● ¿En el sur de Europa?
○ Sí.
■ ¿Es una ciudad antigua?
○ Sí.
● (...)

Más números

8
a
🎧 1|55

Escucha e identifica los números.

10 000	diez mil
100 000	cien mil
150 000	ciento cincuenta mil
200 000	doscientos mil
960 000	novecientos sesenta mil
1 000 000	un millón
1 400 000	un millón cuatrocientos mil
2 000 000	dos millones
12 800 000	doce millones ochocientos mil
13 970 000	trece millones novecientos setenta mil

b **Escucha y repite.**
🎧 1|56

c **Di estos números.**

200

3000

74 000

650 000

831 000

1 250 000

2 500 000

9 345 000

9 **Relaciona.**

● 3 507 000   unos tres millones y medio
● 4 112 000   dos millones aproximadamente
● 1 970 000   más de cuatro millones
● 2 910 002   casi tres millones
● 460 000   menos de medio millón

10 Pregunta a tu compañero cuál es la capital de su país y cuántos habitantes tiene.

- ¿Cuál es la capital de...?
- ...
- ¿Cuántos habitantes tiene?
- Más de... / Menos de... / Casi... / ... aproximadamente.

11 En parejas. Juega con las tarjetas sin mirar la del compañero.

Alumno A

1. Pregunta a tu compañero cuál es la capital de:
Perú/Colombia/Nicaragua
- ¿Cuál es la capital de Perú?

Pregúntale también cuántos habitantes tienen y escríbelo.

2. Responde a las preguntas de tu compañero.

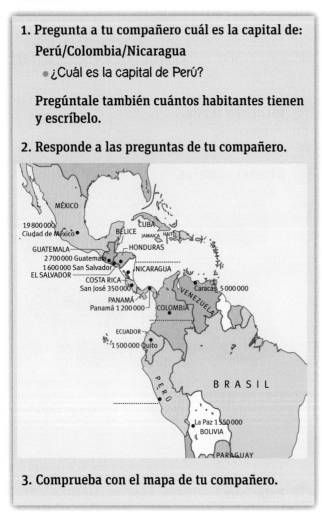

3. Comprueba con el mapa de tu compañero.

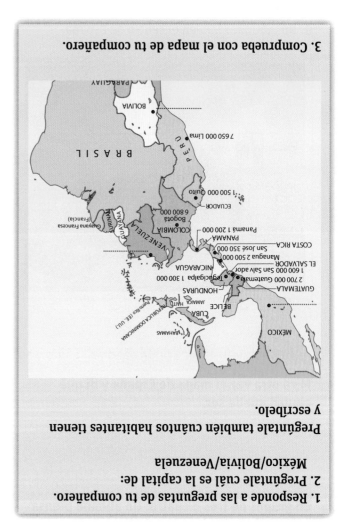

3. Comprueba con el mapa de tu compañero.

Pregúntale también cuántos habitantes tienen y escríbelo.

2. Pregúntale cuál es la capital de:
México/Bolivia/Venezuela

1. Responde a las preguntas de tu compañero.

Alumno B

12 Lugares famosos. Usa las palabras del recuadro para decir por qué son famosos estos lugares.

- Colombia
- La Rioja
- Pamplona
- La Mancha
- Málaga
- Cuba

| • Vino | • Café | • Tabaco | • Don Quijote | • Playas | • Fiestas de San Fermín |

Colombia es famosa por el café.

13 Escucha esta conversación y di cuál es la foto que corresponde a la ciudad o al pueblo del que están
a hablando.

1|57

b Escucha otra vez y completa el cuadro.

1|58

Nombre de la población	
Situación	
Número de habitantes	
¿Cómo es?	
Es famosa por...	
¿Qué tiene?	

14 Lee estos significados de la palabra *pueblo* y subraya el que has estudiado.
a

queño o de una aldea. **2** Dicho de una persona,
que tiene poca cultura o modales poco finos. ☐
FAMILIA: → pueblo.
pueblo [sustantivo masculino] **1** Población con pocos habitantes: *En mi pueblo hay muchos agricultores.* **2**
Conjunto de personas que viven en un país: *el
pueblo español.* **3** Grupo de las personas de un
país que no tienen poder: *El pueblo se levantó
contra el Gobierno.* ☐ SINÓNIMOS: **2** nación. FA-
MILIA: popular, popularidad, popularizar, populoso,
poblacho, populacho, pueblerino.
puente [sustantivo masculino] **1** Construcción que sirve para
cruzar un río o una carretera: *Este puente es muy*

b Y tú, ¿vives habitualmente en un pueblo o en una ciudad?

15 Pregunta a tu compañero sobre su pueblo o su ciudad. Luego, háblale del lugar donde vives tú y enséñale
fotos o postales.

- ¿De dónde eres?
- De...

16 Escribe sobre un pueblo o una ciudad importante, sin mencionar su nombre. Entrega la redacción a tu
profesor.

Geografía de América Latina

1
a
Lee el texto y complétalo con estas palabras (puedes usar el diccionario).

- Andes
- Caribe
- Amazonas
- Suramérica

América Latina está formada por diversos países que fueron colonizados por varias naciones europeas. Ocupa parte de Norteamérica (México), Centroamérica, varias islas del mar Caribe y la mayor parte de .... Su geografía es muy variada.

RÍOS Y SELVAS

El río .... es el más importante del mundo.
Contiene la quinta parte del agua dulce de la Tierra. Sus selvas ocupan territorios de muchos países de Suramérica y se calcula que en ellas habitan la mitad de las especies vivas del planeta.

Existen también otras grandes selvas en Venezuela (atravesadas por el río Orinoco) y en Centroamérica.

MONTAÑAS

La cordillera de los ...., que está situada en la parte occidental de América del Sur, va desde Panamá hasta el sur de Chile. Su pico más alto es el Aconcagua (6960 metros).

COSTAS

En casi todos los países hay muchos kilómetros de costa.

Puede ser tropical (en el mar ...., por ejemplo,) o desértica, como en algunas zonas del norte de Chile.

b **Escribe dos preguntas sobre el texto y házselas a tus compañeros.**

c **Comenta con tus compañeros las informaciones que te parezcan más interesantes.**

Recuerda

COMUNICACIÓN

Hablar sobre la situación geográfica de una población
- ¿Dónde está Sevilla?
- En el sur de España. / Al sur de Madrid.
- ¿Dónde está Lima?
- Entre el océano Pacífico y la cordillera de los Andes.

GRAMÁTICA

Estar: localización en el espacio
- Granada está en Andalucía.
  (Ver resumen gramatical, apartado 11.2)

COMUNICACIÓN

Describir una población
- Barcelona es una ciudad moderna y tiene playa.
- Quito es una ciudad muy antigua.

GRAMÁTICA

Ser: descripción de lugares
- Toledo es una ciudad antigua muy bonita.
- Lima es una ciudad industrial.

Identidad
- Bogotá es la capital de Colombia.
  (Ver resumen gramatical, apartado 11.1)

COMUNICACIÓN

Hablar del número de habitantes
- ¿Cuántos habitantes tiene Madrid?
- Más de tres millones.

Preguntar y decir cuál es la capital de un país
- ¿Cuál es la capital de Cuba?
- La Habana.

Expresar la causa
- ¿Por qué vives en este pueblo?
- Porque es muy tranquilo.

- Mi pueblo es famoso por el vino.

GRAMÁTICA

Interrogativos
¿Cuántos?, ¿cuál?, ¿por qué?
  (Ver resumen gramatical, apartados 9.6, 9.3 y 9.8)
Porque, por.
  (Ver resumen gramatical, apartado 20)

1 **Madrid. Lee este texto incompleto sobre Madrid. Puedes usar el diccionario.**

a

Madrid

Madrid es la capital de .... desde 1562 y la ciudad española más grande: tiene más de tres millones de .... Su población está aumentando y cada vez viven en ella más personas procedentes de diferentes países y culturas. Está situada en el .... del país, en una meseta, cerca de la sierra.

Madrid tiene muchos monumentos de diferentes épocas históricas. El Prado, su .... más famoso, es uno de los más importantes del mundo. Está muy bien comunicada, y Barajas, su ...., tiene vuelos a muchas partes del mundo, muchos de ellos a Latinoamérica.

Madrid es una ciudad antigua y moderna a la vez, y muy activa. Tiene una oferta cultural muy variada y mucha vida nocturna. Esta es una de las razones por las que siempre hay muchos visitantes en Madrid.

b **Complétalo. En el mapa puedes encontrar alguna información.**

Madrid

ESPAÑA

BARAJAS

Museo del Prado

c **Comprueba con el profesor.**

2 **Juego de memoria. Cierra el libro y escribe las informaciones que recuerdes. Luego, compara con un compañero. ¿Quién tiene más informaciones correctas?**

3 Latinoamérica. Lee las frases y señala si son verdaderas o falsas. El mapa te puede ayudar.

a

                               V F   V F

1. Montevideo está cerca de Buenos Aires. ☐ ☐   6. Quito está lejos del mar Caribe. ☐ ☐
2. Lima es la capital de Perú. ☐ ☐   7. Chile tiene muchas playas. ☐ ☐
3. Bogotá está en la costa del océano Pacífico. ☐ ☐   8. La isla de Cuba está en el océano Pacífico. ☐ ☐
4. El río Amazonas pasa por Perú. ☐ ☐   9. La Habana es famosa por el tango. ☐ ☐
5. Caracas está en el norte de Nicaragua. ☐ ☐   10. Buenos Aires está en el oeste de Argentina. ☐ ☐

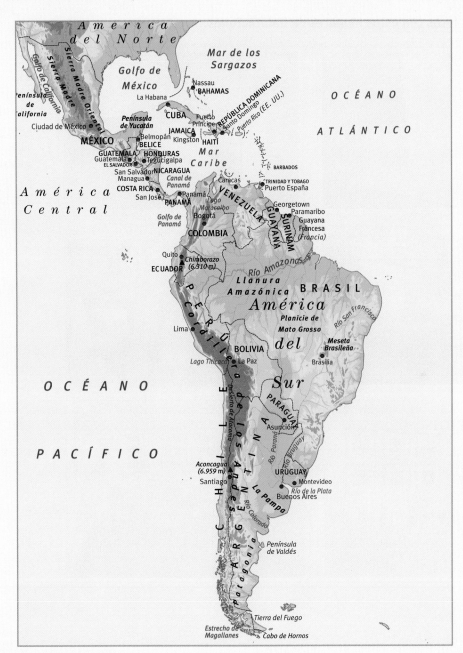

b Sustituye las frases falsas por otras verdaderas.

4 Mira el mapa de Latinoamérica y escribe frases verdaderas y frases falsas.

a

b Pásaselas a tu compañero para que descubra cuáles son falsas y las sustituya por otras verdaderas.

8 Mi casa y mi habitación

OBJETIVOS

- Describir una casa
- Describir una habitación
- Expresar existencia
- Expresar localización en el espacio

1 Relaciona las fotos con estos nombres de habitaciones.

- salón
- dormitorio
- cuarto de baño
- comedor
- cocina
- estudio

1 → salón

2
a Lee este anuncio. Puedes mirar el diccionario.

b Escribe lo que sabes sobre ese piso.
Usa *está*, *es* y *tiene*.

Está en la plaza de la Luna.
Es nuevo.
Tiene cuatro dormitorios.

VENDO PISO

Plaza Luna, nuevo, exterior, cuatro dormitorios, calefacción, ascensor, garaje, aire acondicionado, suelos de madera. Mucha luz, céntrico y bien comunicado. Muy barato.

Tel.: 91 275 85 90.

3 Escucha la conversación entre Rosa y un amigo sobre la nueva casa de Rosa. Marca lo que oigas.

🎧
2|1

El piso de Rosa tiene:	dos/tres/cuatro habitaciones.
Está:	en el centro / cerca del centro / lejos del centro.
Es:	interior / antiguo / tranquilo / bonito / pequeño / grande.
Da a una calle:	ancha / estrecha / con mucho tráfico.
Tiene:	teléfono / calefacción / aire acondicionado / mucha luz / jardín.
No tiene:	garaje / ascensor / terraza / techos altos.

4 Ahora, siguiendo el modelo anterior, cuéntale a tu compañero cómo es tu casa. Luego, toma nota de lo que él te diga sobre su casa.

5 Busca en el diccionario cinco palabras de la lista.

a
- sofá
- ducha
- lámpara
- televisión
- mesilla
- microondas
- frigorífico
- sillón
- escalera
- estantería
- armario
- lavaplatos
- bañera
- lavabo
- cama
- lavadora
- cocina eléctrica / de gas
- DVD

b Pregunta a tus compañeros por el resto.

c Escribe debajo de cada dibujo la palabra correspondiente.

ducha ....

....

....

Fonética

La sílaba fuerte

6

a

🎧 2|2

Escucha estas palabras y escríbelas en la columna correspondiente.

■ ■	■ ■ ■	■ ■ ■ ■	■ ■ ■ ■ ■
so fá	lám pa ra	es ca le ra	fri go rí fi co

b

🎧 2|3

Escucha y subraya la sílaba más fuerte de esas palabras.

7 Mira las fotos de la actividad 1 y elige una habitación. Descríbesela a tu compañero. ¿Sabe cuál es?

- Hay una mesa...
- ¿Es la cocina?
- No. También hay...
- ¿Es...?

8 Observa los dibujos y numera las frases.

	1	Delante de la televisión.		Debajo del sofá.		Al lado de la lavadora.
		Entre el lavabo y el váter.		Encima de la mesa.		Detrás de la mesilla.
		A la izquierda del gato.		En el frigorífico.		A la derecha del perro.

9 Fíjate.

Adverbios y preposiciones

delante de	detrás de
debajo de	encima de, sobre
a la izquierda de	a la derecha de
dentro de	fuera de
cerca de	lejos de
al lado de	
en	
enfrente de	
alrededor de	
entre... y...	

10 Un alumno "esconde" su cuaderno en alguna parte de la casa de la actividad 1.
Sus compañeros tienen que adivinar dónde está, y para ello le hacen preguntas. Podéis grabarlo.

- ¿Está en el comedor?
- No.
- ¿Está en el dormitorio?
- Sí.
- ¿Está encima de la cama?
- No.

11 Escucha y numera las habitaciones descritas.

2|4

A
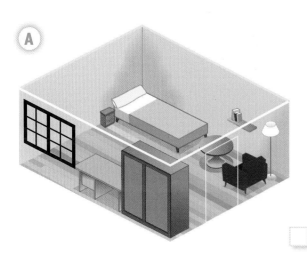

B

C
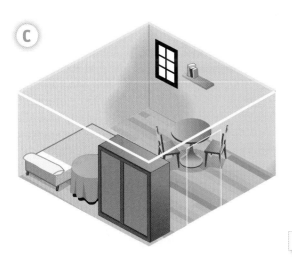

D

12 En parejas. ¿Qué hay en el salón?

Alumno A

1. Pregunta al alumno B qué hay en el salón de su dibujo y haz una lista en tu cuaderno de las cosas que él te diga.

2. Ahora pregúntale dónde están esas cosas y dibújalas donde él te diga.

3. Comprobad.

1. Responde a las preguntas de tu compañero. Luego, pregúntale qué hay en el salón de su dibujo y haz una lista en tu cuaderno de las cosas que él te diga.

2. Responde a tu compañero. Luego, pregúntale dónde están las cosas de tu lista y dibújalas donde él te diga.

3. Comprobad.

Alumno B

13 Pregunta a tu compañero cómo es su habitación, qué muebles hay y dónde está colocado cada uno.

a Dibuja un plano con su ayuda.

b Usa las notas que has tomado en la actividad 4 y mira el plano del apartado anterior para escribir sobre la casa y la habitación de tu compañero.

c Intercambia tu texto con otros compañeros. Lee tres o cuatro textos. ¿Encuentras algo interesante?

14 ¿Te acuerdas de Paco, el estudiante español que va a pasar unos días en tu casa? En la actividad 19

a de la lección 5 le describiste a tu familia en un correo electrónico. Ahora le envías otro para describirle tu casa y la habitación donde se va a alojar.

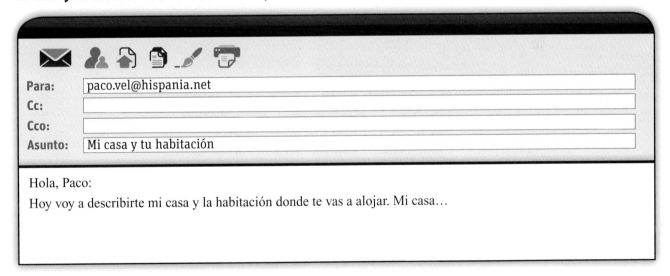

Para: paco.vel@hispania.net
Cc:
Cco:
Asunto: Mi casa y tu habitación

Hola, Paco:
Hoy voy a describirte mi casa y la habitación donde te vas a alojar. Mi casa…

b Envía el mensaje a la persona que te indique el profesor.

c Dibuja un plano con la información del correo electrónico que recibas y enséñaselo al compañero que te lo ha enviado.

La vivienda en España

1 Observa las fotos. Decide cuál de ellas puede corresponder a:

☐ Un pueblo blanco del interior de Andalucía.

☐ Un pueblo castellano.

☐ Un pueblo turístico de la costa mediterránea.

☐ Una casa de campo del norte de España.

☐ Un pueblo de pescadores de la costa cantábrica.

☐ Una ciudad española grande.

Recuerda

Describir una casa

- ¿Cómo es?
- Antigua y bastante grande.
- ¿Cuántas habitaciones tiene?
- Tres.
- ¿Está bien comunicada?
- Sí.

Describir una habitación

- ¿Qué hay en el comedor?
- (Hay) Una mesa, cuatro sillas...
- ¿Dónde está el sofá?
- (El sofá está) Enfrente de la ventana.

GRAMÁTICA

Verbo *ser*: descripciones

- Mi casa es bastante antigua.
   (Ver resumen gramatical, apartado 11.1)

Verbo *estar*: localización en el espacio

- La cocina está al lado del salón.
   (Ver resumen gramatical, apartado 11.2)

Hay + artículo indeterminado + sustantivo

- Hay una cama.
   (Ver resumen gramatical, apartado 10.1)

Artículo determinado + sustantivo + *está(n)*

- El armario está a la derecha de la ventana.
- Los sillones están enfrente del sofá.
   (Ver resumen gramatical, apartado 10.2)

2 a ¿Cómo crees que es la vivienda ideal del español medio? Coméntalo con un compañero.

b Lee este artículo y comprueba si esa vivienda es parecida a la que habéis descrito.

LA VIVIENDA DEL ESPAÑOL MEDIO

La vivienda que desea comprar el español medio es un piso que mide entre 80 y 100 metros cuadrados.

Para él, la situación es muy importante: la prefiere cerca de su centro de trabajo y bien comunicada.

Tiene 2, 3 o 4 dormitorios (depende del tipo de familia), un salón-comedor muy grande, cocina y uno o dos baños. Los suelos del salón y de los dormitorios son de parqué, las ventanas tienen doble cristal, y las puertas exteriores e interiores son de madera.

Es exterior y tiene mucha luz natural, ascensor y calefacción.

c ¿Hay algo que te sorprende? Coméntaselo a la clase.

3 a Piensa en tu vivienda ideal. Puedes hacer un plano de ella.

b En grupos de tres. Descríbesela a tus compañeros y escucha lo que te digan ellos. ¿Es tu vivienda ideal como la de alguno de ellos?

1 **Busca las moscas. Mira el dibujo y busca las moscas. Escribe dónde están.**

a

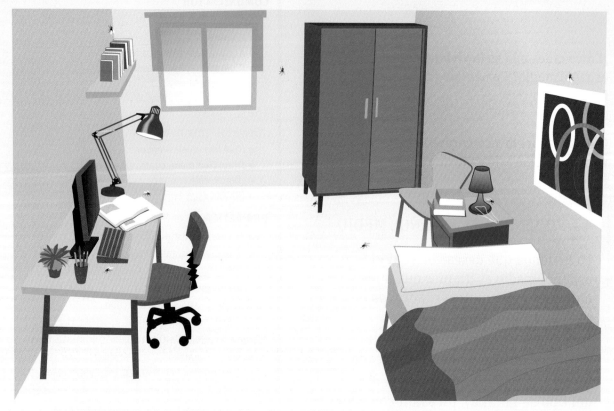

Hay una mosca encima de la mesilla, detrás de la lámpara.
Hay otra (mosca)…

b **Compara con tu compañero y corregid las frases.**

2 **Pon tú otras cinco moscas en esa habitación. Dibújalas a lápiz.**

a

b **Dile a tu compañero dónde están y descubre dónde están las dibujadas por él. ¿Ha puesto alguna en el mismo lugar que tú?**

3 **Una adivinanza. En grupos de cuatro. Por turnos, un alumno piensa en un objeto de la clase y sus compañeros intentan adivinar cuál es. Para ello, le hacen preguntas solamente sobre su localización, a las que él responde "sí" o "no".**

- ¿Está detrás de ti?
○ No.
■ ¿Está delante de ti?
○ Sí.
□ ¿Está a la derecha de ti?
○ Sí.
- ¿Está en la pared?
○ No.
■ ¿Está en el suelo?
○ Sí.
□ Es la papelera.
○ Sí.

4 **Lee lo que dicen estas personas y pregunta al profesor qué significa lo que no entiendas. ¿Cuáles de**
a **ellas habitan en una vivienda propia?**

"Yo vivo en un piso de alquiler con una amiga y dos .... de clase.
Tiene cuatro habitaciones y la mía no es muy grande, pero es bonita y
bastante .... para estudiar. Yo prefiero vivir con otras personas,
compartir el piso con ellas, porque es más barato y menos aburrido."

Cristina, 20 años

"Yo vivo con mi novia en un apartamento que compramos en el centro.
Es bastante pequeño, pero es precioso, está muy bien decorado y tiene
.... luz. También está muy bien situado, algo muy importante para
nosotros porque somos muy .... y salimos mucho."

Gustavo, 30 años

"Yo vivo aún con mi ...., en casa de mis padres. Sé que eso tiene
ciertos inconvenientes, pero es muy cómodo. Me gustaría independizarme y
vivir solo en un estudio o un ...., pero no puedo porque no
tengo trabajo fijo y ahora estoy en paro."

Eduardo, 25 años

"Nosotros vivimos en un chalé alquilado en un pueblo .... de
Madrid. Es un chalé un poco viejo, bastante grande, y tiene un
.... donde los niños juegan mucho y nosotros trabajamos
bastante en él. El pueblo está muy bien .... por tren y autobús,
pero nosotros nos movemos normalmente en coche."

Andrea y Gerardo,
40 y 43 años

"Yo vivo sola en un .... que compré el año pasado. Para mí es
la forma ideal de vivir porque soy muy .... Vives mucho más
tranquila y haces lo que quieres en cada momento."

Gloria, 38 años

b **Completa con estas palabras. Antes, asegúrate de que entiendes todas.**

- familia
- compañeros
- tranquila
- mucha
- comunicado
- jardín
- apartamento
- cerca
- estudio
- sociables
- independiente

c **Y tú, ¿cómo vives? ¿Vives como alguna de esas personas? Díselo a la clase.**

9

Gustos

OBJETIVOS

● Expresar gustos
● Expresar coincidencia y diferencia de gustos
● Expresar diversos grados de gustos

1
a ¿Entiendes estas palabras y expresiones? Pregunta a tus compañeros o al profesor qué significan las que no conozcas.

bailar
ver la televisión
escuchar la radio
jugar al fútbol
salir
las discotecas
jugar al tenis
el fútbol
el teatro
leer
la música
esquiar
las motos
los ordenadores
el cine
navegar por internet
chatear
viajar
correr

b ¿Cuáles de ellas sirven para hablar de cosas que normalmente haces fuera de casa? Escríbelas.

bailar

c Asegúrate de que entiendes estos nombres y relaciona cada uno de ellos con un verbo del apartado a).

la lectura   los viajes   el chat   los juegos   el esquí   el baile

la lectura → leer

Fonética
La sílaba fuerte

2 Escucha estas palabras y escríbelas en la columna correspondiente.

a

🎧
2|5

■■ ■■	■■ ■■ ■■	■■ ■■ ■■ ■■	■■ ■■ ■■ ■■ ■■
sa lir			

b Añade otras palabras de la actividad 1.

c Subraya la sílaba fuerte de todas ellas.

d Comprueba con el profesor y practica con su ayuda las palabras más difíciles de pronunciar.

3 Observa los dibujos y lee las frases. ¿Las entiendes?

a

Me gusta...

Me gustan...

No me gusta...

No me gustan...

- Me gusta el fútbol.
- Me gusta ir al cine.
- Me gustan las motos.

- No me gusta el tenis.
- No me gusta ver la televisión.
- No me gustan los ordenadores.

b Comenta con tu compañero por qué unas veces se dice "gusta" y otras "gustan". Díselo al profesor. ¿Qué diferencias hay con tu lengua?

4 Marca tus gustos personales.

	Me gusta	Me gustan	No me gusta	No me gustan
los ordenadores				
el teatro				
ir a conciertos				
el español				
las motos				
bailar				
las películas de aventuras				
viajar				

5 **Observa.**

Mismos gustos

- Me gusta(n).
- A mí también.
- No me gusta(n).
- A mí tampoco.

Gustos diferentes

- Me gusta(n).
- A mí no.
- No me gusta(n).
- A mí sí.

b **Pregunta a tu compañero si le gustan las cosas y las actividades de tiempo libre presentadas en la actividad 1. ¿En cuántas coincidís?**

- ¿Te gusta el teatro?
- ○ Sí, ¿y a ti?
- A mí también.

6 **Escribe sobre los gustos de tu compañero.**

A (John) le gusta(n)… y…, pero no le gusta(n)… ni…

7 **En parejas. Usad estas palabras para descubrir dos aspectos de la clase de español que os gustan a los dos y otros dos que no os gustan. Decídselo a la clase.**

Nos gusta(n)… y…
No nos gustan(n)… ni…

- hablar
- escuchar grabaciones
- el profesor / la profesora
- este libro
- el horario
- leer
- la gramática
- escribir
- los deberes

8 **Mira el dibujo y lee las frases. Luego, escríbelas ordenándolas de más a menos. Pregunta al profesor las palabras que no conozcas.**

- ¡Me encanta! Es precioso.
- Me gusta. No está mal.
- No me gusta.
- No me gusta nada. Es horrible.
- Me gusta mucho. Es muy bueno.

1. ¡Me encanta! Es precioso.

2. ....

3. ....

4. ....

5. No me gusta nada. Es horrible.

b **Y a ti, ¿te gusta ese cuadro? Díselo a la clase.**

9 Escucha estos sonidos y fragmentos de música y di si te gustan o no.

🎧
2|6

10 Fíjate en el cuadro y después completa las frases. Puedes usar el diccionario.

a

Pronombre		Verbos *gustar* y *encantar*	
(A mí)	Me	gusta encanta	el cine. escuchar música.
(A ti)	Te		
(A él/ella/usted)	Le		
(A nosotros/nosotras)	Nos	gustan encantan	las motos. los libros.
(A vosotros/vosotras)	Os		
(A ellos/ellas/ustedes)	Les		

1. A mi compañero ....
2. A mí ....
3. A los hombres les encanta ....
4. A las mujeres les ....
5. A mi profesor.. .
6. A los estudiantes no ....
7. .... los estudiantes que no hablan español en clase.
8. .... viajar fuera de mi país.

b Lee en voz alta lo que has escrito. ¿Coincides con alguno de tus compañeros?

11 ¿Verdadero o falso? Escucha y marca.

🎧
2|7

	V	F
1. A Carlos le gusta mucho el esquí.	☐	☐
2. A María no le gusta nada el fútbol.	☐	☐
3. A Carlos no le gusta leer.	☐	☐
4. A los dos les encanta bailar.	☐	☐
5. Carlos y María tienen los mismos gustos.	☐	☐

12 **Cuestión de lógica. Lee las claves y completa el cuadro.**

a

1. La enfermera vive en Barcelona.

2. Al abogado le gusta el esquí.

3. A Manolo le encanta el tenis.

4. Manolo no es abogado.

5. Javier vive en Valencia.

6. El que vive en Bilbao es periodista.

7. A Luisa le gusta mucho el fútbol.

Nombre	Profesión	Ciudad	Le gusta

b **Prepara otro problema de lógica.**

c **Dáselo a tu compañero para ver si lo resuelve.**

13 **¿Conoces bien a tu compañero? Marca sus posibles gustos en este cuestionario.**

a

	Le encanta(n)	Le gusta(n) mucho	Le gusta(n)	No le gusta(n)	No le gusta(n) nada
ver la televisión					
estar mucho en casa					
los niños					
la música clásica					
el *rock*					
las revistas de moda					
chatear					
las películas de ciencia ficción					
ir a sitios desconocidos					

b **Ahora pregúntale y marca sus respuestas con otro color.**

c **Comparad las respuestas con los posibles gustos. ¿Quién tiene más aciertos?**

14 Un poema. Lee este poema y asegúrate de que entiendes todo. ¿Tienes tú alguno de esos gustos?

a

GUSTOS

Me encanta jugar con niños.
Me gusta mucho viajar a lugares desconocidos.
Me gustan las playas tranquilas.
No me gustan las ciudades muy grandes.
No me gustan nada los lunes por la mañana.

No me gusta nada la gente antipática.
No me gustan los teléfonos móviles.
Me gusta la gente alegre.
Me gustan mucho los sábados por la tarde.
Me encantan las islas pequeñas.
Pero lo que más me gusta es estar con la gente que más quiero.

b Ahora escribe tu propio poema. Puedes seguir la estructura propuesta y pensar en:

- personas
- lugares
- objetos
- días de la semana
- actividades de tiempo libre...

GUSTOS

○ Me encanta(n)...
○ Me gusta(n) mucho...
○ Me gusta(n)...
○ No me gusta(n)...
○ No me gusta(n) nada...
○
○ No me gusta(n) nada...
○ No me gusta(n)...
○ Me gusta(n)...
○ Me gusta(n) mucho...
○ Me encanta(n)...
○ Pero lo que más me gusta es...

c Dáselo al profesor, que lo colocará en una pared de la clase. Lee los poemas de tus compañeros.
¿Hay alguno que te guste mucho?

Música latinoamericana

1
a
🎧
2|8

Escucha estos fragmentos de música latinoamericana y relaciónalos con las fotos.

1. ....
2. ....
3. ....
4. ....
5. ....
6. ....

MÚSICA ANDINA

TANGO

SALSA

RANCHERA

Recuerda

b **¿Con qué país o países asocias cada tipo de música?**

- Yo asocio la salsa con...
- Yo también la asocio con...

MÚSICA CUBANA

CUMBIA

c **Escucha otra vez la música y piensa en las respuestas a estas preguntas:**

2|9

- ¿Cuáles de esos tipos de música te gustan más?
- ¿Conoces alguna otra canción de esos estilos?
- ¿Conoces otros tipos de música latinoamericana?

d **Comenta las respuestas con tus compañeros.**

COMUNICACIÓN

Expresar gustos

- Me gustan las discotecas y las motos.
- No me gusta el fútbol ni el tenis.
- Me gusta leer, pero no me gusta el cine.

GRAMÁTICA

Verbos *gustar* y *encantar*

gusta + | verbo en infinitivo
| nombre singular

- ¿Te gusta bailar?
- ¿Te gusta el teatro?

gustan + **nombre plural**

- ¿Te gustan los coches?

  (Ver resumen gramatical, apartado 12)

Pronombres de objeto indirecto

(a mí)	me
(a ti)	te
(a él/ella/usted)	le
(a nosotros/nosotras)	nos
(a vosotros/vosotras)	os
(a ellos/ellas/ustedes)	les

- A vosotros os gusta mucho la música clásica, ¿verdad?

  (Ver resumen gramatical, apartados 8.2 y 8.4)

COMUNICACIÓN

Expresar coincidencia y diferencia de gustos

- Me gusta mucho este cuadro.
- A mí también. / A mí no.
- No me gustan los ordenadores.
- A mí tampoco. / A mí sí.

GRAMÁTICA

También, tampoco, sí, no.

  (Ver resumen gramatical, apartado 13)

COMUNICACIÓN

Expresar diversos grados de gustos

- A mi abuela le encanta bailar.
- A Pepe le gusta mucho ver la televisión.
- Me gusta la clase de español.
- A Olga no le gustan los niños.
- No me gusta nada este disco.

Materiales complementarios

1 ¡Es mentira! Escribe frases verdaderas y frases falsas expresando tus gustos.
a

> No me gustan nada las discotecas.
> Me encanta chatear.

b En parejas. Díselas a un compañero con el que no has trabajado en esta lección. Cuando crea que una frase es falsa, dice "¡Es mentira!". Si realmente es falsa, obtiene un punto; si es verdadera, lo obtienes tú.

No me gustan nada las discotecas.

Sí, es verdad; me gustan las discotecas.

¡Es mentira! Sí te gustan las discotecas.

Un punto para mí.

c Coméntale qué otras frases falsas no ha descubierto. Anótate un punto por cada una de ellas. ¿Quién tiene más puntos?

2 Los gustos del profesor. Formad dos equipos (A y B). Comenta con los miembros de tu equipo qué gus-
a tos creéis que tiene el profesor y escribidlos.

> (A la profesora) Le gusta mucho bailar. También le gustan las películas de terror.

b Por turnos. Un alumno le dice un gusto al profesor y este le confirma si ha acertado o no. En caso afirmativo, obtiene un punto para su equipo, y si la frase está bien, obtiene otro punto.

Te gusta mucho bailar.

Sí, me gusta mucho bailar. Un punto para tu equipo. Y como la frase está bien, otro punto.

Te gustan las películas de terror.

No, no me gustan nada. Pero la frase está bien, así que un punto para tu equipo.

c ¿Qué equipo tiene más puntos?

3 Un cómic. Lee este cómic y averigua qué significa lo que no entiendas.

a

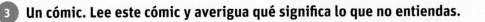

LOS ESPAÑOLES Y LOS DEPORTES

1 A MUCHOS ESPAÑOLES LES GUSTAN MUCHO LOS DEPORTES Y EL MÁS POPULAR ES EL FÚTBOL. LOS EQUIPOS DE FÚTBOL MÁS FAMOSOS SON LOS DE LAS CIUDADES MÁS GRANDES Y HAY UNA GRAN RIVALIDAD ENTRE ELLOS.

2 LOS PERIÓDICOS, LA RADIO, LA TELEVISIÓN E INTERNET LE PRESTAN MUCHA ATENCIÓN (DEMASIADA, EN OPINIÓN DE MUCHAS PERSONAS QUE NO SON AFICIONADAS AL FÚTBOL).

3 MUCHOS AFICIONADOS VEN LOS PARTIDOS EN LA TELEVISIÓN EN SU CASA O EN BARES. PREFIEREN REUNIRSE CON AMIGOS PARA VERLOS JUNTOS Y DISFRUTAR (O SUFRIR) JUNTOS.

4 PERO NO TODO ES FÚTBOL: EN ESPAÑA HAY TAMBIÉN OTROS DEPORTES MUY POPULARES COMO SON EL BALONCESTO, EL TENIS, EL CICLISMO, EL AUTOMOVILISMO Y EL MOTOCICLISMO.

5 EN GENERAL, A LOS ESPAÑOLES LES GUSTA PRACTICAR DEPORTE. LO HACEN EN SU TIEMPO LIBRE HOMBRES Y MUJERES, JÓVENES Y ADULTOS, RICOS Y POBRES...

6 OTROS, SIN EMBARGO, PRACTICAN FRECUENTEMENTE EL "DEPORTE" DE VER MUCHO DEPORTE, NO IMPORTA CUÁL, EN LA TELEVISIÓN DEL SALÓN DE SU CASA: VEN PARTIDOS DE FÚTBOL, DE BALONCESTO, DE TENIS, CARRERAS CICLISTAS O AUTOMOVILÍSTICAS, ETC.

b Lee de nuevo y escribe nombres de deportes.

Fútbol

c ¿Puedes decir el nombre de algunos deportistas españoles y el deporte que practican?

Rafael Nadal juega al tenis...

¿Y conoces algunos equipos españoles de fútbol, baloncesto u otro deporte?

d ¿Eres aficionado a algún deporte? ¿Practicas alguno? ¿Cuál y cuándo? Díselo a la clase.

Mi barrio, horarios públicos y el tiempo

OBJETIVOS

- Describir un barrio
- Expresar preferencias
- Preguntar y decir la hora
- Preguntar e informar sobre horarios públicos
- Hablar del tiempo atmosférico

1 Lee las palabras del recuadro y asegúrate de que las entiendes.

estación de metro   parque   iglesia   colegio   biblioteca

centro comercial   oficina de información   parada de autobús   hospital

cine   supermercado   ayuntamiento   tienda   bar   farmacia

aparcamiento   calle peatonal   teatro   restaurante   cajero automático

Fonética   La sílaba más fuerte

2
a
🎧 2|10
Escucha y subraya la sílaba más fuerte de cada una de las palabras de la actividad anterior.

b Escucha y repite.
🎧 2|11

3 ¿Masculino o femenino? Escribe las palabras de la actividad 1 en la columna correspondiente. Puedes consultar el diccionario.

un	una
parque	estación de metro

4 Observa el dibujo de una parte de un barrio. ¿Cuántas palabras de la actividad 1 puedes utilizar para decir lo que hay?

> Hay una parada de autobús.

5 En parejas. Por turnos, elige una de las cosas del dibujo y dile a tu compañero dónde está. Él tiene que adivinar qué es. Si lo necesitas, puedes consultar la actividad 9 de la lección 8.

> ● Está a la derecha de la calle, después del cine, enfrente de la farmacia.
> ○ (Es) La oficina de información.
> ● Sí.

6 ¿Tienes buena memoria? Cierra el libro y escribe lo que hay en esa parte del barrio.

a

b Compara con tu compañero. ¿Quién ha escrito más palabras correctamente?

Describir un barrio

7 **Lee y asegúrate de que entiendes todo.**

a

"Hablar de mi barrio es hablar de la parte de mi ciudad que más me gusta. Vivo en el barrio de Maravillas, que es un barrio antiguo y céntrico. Está muy bien comunicado, hay muchas paradas de autobús y dos estaciones de metro. En general, es bastante tranquilo, tiene bastantes calles estrechas y algunos edificios preciosos. En mi barrio puedes comprar de todo y hacer muchas cosas: hay muchas tiendas, supermercados, bares, restaurantes, cines, teatros, bibliotecas..."

Lo que más me gusta de mi barrio es que vive mucha gente joven y es muy alegre. Lo que menos, que hay pocas zonas verdes y que hay mucho tráfico en algunas calles. Mi sitio preferido es una plaza muy pequeña y muy agradable, sin ruido, con árboles y poca gente, ideal para ir allí a leer o con algún amigo."

b **¿Verdadero o falso?**

	V	F
1. Es un barrio muy moderno.	☐	☐
2. Está bastante cerca del centro.	☐	☐
3. No es muy ruidoso.	☐	☐

	V	F
4. No es un barrio aburrido.	☐	☐
5. Hay muchos parques.	☐	☐
6. Su lugar preferido es un edificio precioso.	☐	☐

8 **Fíjate.**

a

Cuantificadores con sustantivos

mucho/-a/-os/-as	En mi barrio hay **muchas** tiendas.
bastante(s)	También hay **bastantes** restaurantes.
algún, alguna/-os/-as	Hay **algunas** calles peatonales.
poco/-a/-os/-as	Hay **pocas** zonas verdes.

b **Escribe informaciones sobre tu barrio con esos cuantificadores.**

En mi barrio hay algunos supermercados.

9 ¡Es mentira! Escribe frases con informaciones verdaderas y falsas sobre tu barrio. Puedes usar estas
a palabras y expresiones.

- Es
- Está
- Hay/Tiene
- Lo que más me gusta
- Lo que menos me gusta
- Mi sitio preferido

b Dile a tu compañero esas frases y algunas de 8b. Cuando crea que una frase es falsa, dice "¡Es mentira!".
Si realmente es falsa, obtiene un punto; si es verdadera, lo obtienes tú. ¿Quién tiene más puntos?

10 Observa estas fotografías de tres barrios de Madrid. Comenta las características de cada uno de esos
a barrios con tus compañeros.

El barrio A es antiguo y tiene calles peatonales.

b Escucha a tres personas describiendo esos barrios y di de cuál habla cada una. Escucha de nuevo y
completa el cuadro.

2|12

	Lo que más le gusta	Lo que menos le gusta
1.		
2.		
3.		

c Escucha otra vez. ¿Qué otras características tiene cada barrio?

2|13

11 En grupos de cuatro. Describe tu barrio a tus compañeros y escucha la descripción de sus barrios.
¿Te gustaría vivir en alguno de ellos? ¿En cuál? ¿Por qué?

A mí me gustaría vivir en el barrio de... porque...

¿Qué hora es?

12 **Observa este dibujo con atención.**

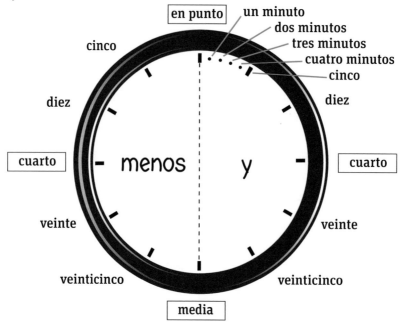

13 **Escribe estas horas debajo de los relojes correspondientes.**

a
- las cinco y media
- las cinco menos diez
- las once en punto
- las doce y cuarto

....

....

b **Ahora escribe las horas que faltan.**

14 **Fíjate en el cuadro. Luego, pregúntale la hora a tu compañero.**

La hora

- ¿Qué hora es?

		en punto.
○ Es la una	y	media. cuarto. cinco. dos minutos.
○ Son las dos las tres las cuatro	menos	cuarto. cinco. diez. dos minutos.

15 **Escucha y subraya las horas que oigas.**

2|14

1.	2:30	12:30

2.	8:15	8:40

3.	3:25	2:35

4.	6:10	5:50

16 Juega con tu compañero y di una hora. Tu compañero cambia la posición de las agujas del reloj y dice la hora correspondiente.

Las tres.

Las doce y cuarto.

Días de la semana y horarios públicos

17 Mira esta agenda y ordena los días de la semana. Escríbelos.
a

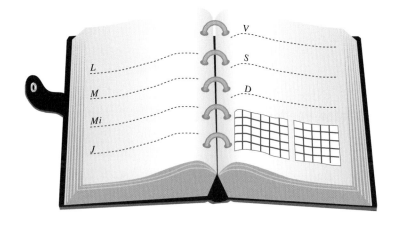

L
M
Mi
J
V
S
D

- jueves
- domingo
- miércoles
- martes
- sábado
- viernes
- lunes

lunes

b Escucha y comprueba. Luego, repite.
2|15

18 Observa este cartel con el horario de una tienda y responde a las preguntas.
a
- ¿A qué hora abre esa tienda por la mañana?
- ¿Y por la tarde?
- ¿A qué hora cierra?
- ¿Qué horario tiene los sábados?

b ¿Hay alguna coincidencia con los horarios de tu país?

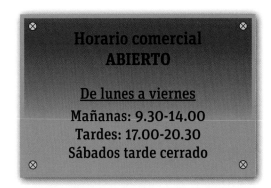

Horario comercial
ABIERTO

De lunes a viernes
Mañanas: 9.30-14.00
Tardes: 17.00-20.30
Sábados tarde cerrado

Los meses del año

19 **Mira el calendario y lee los meses del año.**

a

ENERO
L M M J V S D
1 2
3 4 5 6 7 8 9
10 11 12 13 14 15 16
17 18 19 20 21 22 23
24 25 26 27 28 29 30
31

FEBRERO
L M M J V S D
1 2 3 4 5 6
7 8 9 10 11 12 13
14 15 16 17 18 19 20
21 22 23 24 25 26 27
28

MARZO
L M M J V S D
1 2 3 4 5 6
7 8 9 10 11 12 13
14 15 16 17 18 19 20
21 22 23 24 25 26 27
28 29 30 31

ABRIL
L M M J V S D
1 2 3
4 5 6 7 8 9 10
11 12 13 14 15 16 17
18 19 20 21 22 23 24
25 26 27 28 29 30

MAYO
L M M J V S D
1
2 3 4 5 6 7 8
9 10 11 12 13 14 15
16 17 18 19 20 21 22
23 24 25 26 27 28 29
30 31

JUNIO
L M M J V S D
1 2 3 4 5
6 7 8 9 10 11 12
13 14 15 16 17 18 19
20 21 22 23 24 25 26
27 28 29 30

JULIO
L M M J V S D
1 2 3
4 5 6 7 8 9 10
11 12 13 14 15 16 17
18 19 20 21 22 23 24
25 26 27 28 29 30 31

AGOSTO
L M M J V S D
1 2 3 4 5 6 7
8 9 10 11 12 13 14
15 16 17 18 19 20 21
22 23 24 25 26 27 28
29 30 31

SEPTIEMBRE
L M M J V S D
1 2 3 4
5 6 7 8 9 10 11
12 13 14 15 16 17 18
19 20 21 22 23 24 25
26 27 28 29 30

OCTUBRE
L M M J V S D
1 2
3 4 5 6 7 8 9
10 11 12 13 14 15 16
17 18 19 20 21 22 23
24 25 26 27 28 29 30
31

NOVIEMBRE
L M M J V S D
1 2 3 4 5 6
7 8 9 10 11 12 13
14 15 16 17 18 19 20
21 22 23 24 25 26 27
28 29 30

DICIEMBRE
L M M J V S D
1 2 3 4
5 6 7 8 9 10 11
12 13 14 15 16 17 18
19 20 21 22 23 24 25
26 27 28 29 30 31

20 **Elige un día de ese calendario. Tus compañeros tienen que adivinar cuál es.**

- ● ¿Es en agosto?
- ○ No, después.
- ● ¿En noviembre?
- ○ No, antes.
- ■ ¿En octubre?
- ○ Sí.
- ■ ¿Es un lunes?
- ○ No.
- ◻ ¿Un jueves?
- ○ Sí.
- ■ ¿Es el día 20?
- ○ No, antes.

b **Escucha los nombres de los meses y subraya la sílaba más fuerte.**

🎧 2|16

El tiempo

21 **Relaciona las palabras y expresiones con las fotos. Puedes usar el diccionario.**

Hace calor.
Hace frío.
Hace sol.
Hace viento.
Hace buen tiempo.
Hace mal tiempo.
Llueve.
Nieva
Está nublado.
Hay niebla.

22 **¿Entiendes los nombres de las cuatro estaciones?**

a
- la primavera
- el verano
- el otoño
- el invierno

b **¿En que estación o estaciones del año te hacen pensar las fotos de la actividad 21? Díselo a tus compañeros.**

- A mí, la foto número 1 me hace pensar en…
- A mí también. /A mí, en…

c **Piensa en cuál es tu estación preferida y por qué. Puedes pedir ayuda al profesor. Luego, coméntalo con tres compañeros.**

- ¿Cuál es tu estación preferida?
- La primavera, porque (hace buen tiempo, todo está verde, los días son largos y puedes…).
- Pues mi estación preferida es…

23 **Fíjate.**

Hablar del tiempo atmosférico

- ¿Qué tiempo hace en La Paz en otoño?

○ Hace (muy)	buen mal	tiempo.

○ Hace	(mucho) (bastante)	calor. frío. sol. viento.

○ Llueve	(mucho). (bastante). (poco).
○ Nieva	

24 **Piensa en una ciudad o en un lugar que tiene un clima que te gusta mucho.**

a

b **En grupos de tres. Describe el clima a tus compañeros y dales también alguna información sobre esa ciudad o ese lugar (país, situación, habitantes, por qué es famosa…). ¿Saben cuál es?**

En primavera hace…   En otoño…

25 **Un amigo extranjero va a venir a vivir a tu ciudad. Quiere elegir barrio y te pregunta cómo es el tuyo y el clima de tu ciudad a lo largo del año. Envíale un correo electrónico informándole.**

Para:
Cc:
Cco:
Asunto:

Horarios públicos en España

1 **Lee el siguiente texto y completa el cuadro.**

a

Si quieres ir de compras, te conviene saber que la mayoría de las tiendas y supermercados abren todos los días excepto los domingos. El horario normal es de nueve y media de la mañana a dos de la tarde y desde las cinco hasta las ocho y media de la tarde. Sin embargo, algunos grandes almacenes tienen un horario continuo de diez de la mañana a nueve o diez de la noche y abren algunos domingos.

Al banco se puede ir de lunes a viernes entre las ocho y media de la mañana y las dos de la tarde. Algunos abren también por la tarde un día a la semana, pero muy pocos.

Si necesitas los servicios de algún centro oficial, tienes que ir de nueve de la mañana a dos de la tarde, y los fines de semana están cerrados. Otros servicios públicos como Correos tienen horario continuado, de ocho y media de la mañana a nueve y media de la noche los días laborables. Los sábados abren solo por la mañana, de ocho y media a dos; los domingos no hay servicio.

	DE LUNES A VIERNES		FINES DE SEMANA	
	Abren	Cierran	Abren	Cierran
tiendas				
supermercados				
grandes almacenes				
bancos				
centros oficiales				
Correos				

Recuerda

b **¿Verdadero o falso?**

	V	F
1. Los centros oficiales abren los sábados por la mañana.	☐	☐
2. Los grandes almacenes están cerrados todos los domingos.	☐	☐
3. Los martes, a las 8.45, los bancos están abiertos.	☐	☐
4. Las tiendas cierran a la hora de la comida.	☐	☐
5. Todos los supermercados están cerrados todos los domingos.	☐	☐
6. Correos abre los domingos por la mañana.	☐	☐

2 **Habla con tus compañeros sobre los horarios de los establecimientos públicos de tu país. ¿Son diferentes a los de España?**

COMUNICACIÓN
Describir un barrio
- Mi barrio es bastante tranquilo y está muy cerca del centro. En mi barrio hay muchas plazas, pero hay pocos parques.

GRAMÁTICA
Cuantificadores
Mucho/-a/-os/-as; bastante(s); algún, alguna/-os/-as; poco/-a/-os/-as.
- En mi barrio hay muchas tiendas.
- Hay bastantes calles estrechas.
- Hay algunas calles peatonales.
- Hay pocos supermercados.
  (Ver resumen gramatical, apartado 16)

COMUNICACIÓN
Expresar preferencias
- Mi sitio preferido es la plaza de Olavide.
- Lo que más me gusta de mi barrio es que está muy bien comunicado.

GRAMÁTICA
Verbo *gustar*
(Ver resumen gramatical, apartado 12)

COMUNICACIÓN
Preguntar y decir la hora
- ¿Qué hora es/tienes?
- (Es) La una y cuarto./(Son) Las tres y media.
Preguntar e informar sobre horarios públicos
- ¿A qué hora abren las tiendas por la tarde?
- A las cinco.

GRAMÁTICA
Preposiciones
a	- Abren a las cinco.
de	- Abren a las cinco de la tarde.
por	- Abren los sábados por la tarde.

COMUNICACIÓN
Hablar del tiempo atmosférico
- ¿Qué tiempo hace en Zaragoza en verano?
- Hace mucho calor y llueve muy poco.

GRAMÁTICA
Presente de indicativo. Verbos irregulares
- LLOVER: llueve (**o-ue**)   - NEVAR: nieva (**e-ie**)
Muy–mucho
(Ver resumen gramatical, apartados 15 y 16)

1 **El dominó de las horas.**

- En grupos de cuatro. Cada alumno toma siete fichas sin verlas.
- Empieza a jugar el que tiene la ficha donde se lee "las dos menos veinticinco". La pone en la mesa y dice la hora que marca el reloj de la ficha.
- El jugador que tiene la ficha donde se lee la hora que ha dicho su compañero continúa el juego.
- Si un jugador no dice correctamente la hora, pierde un punto. Gana el que pierde menos puntos.

2 **El juego del mapa del tiempo.**

a **Alumno A:** Dibuja a lápiz un símbolo del tiempo junto a cada ciudad. Responde "sí" o "no" a lo que te diga tu compañero y cuenta el número de frases que dice para adivinar el tiempo que hace hoy en esas ciudades.

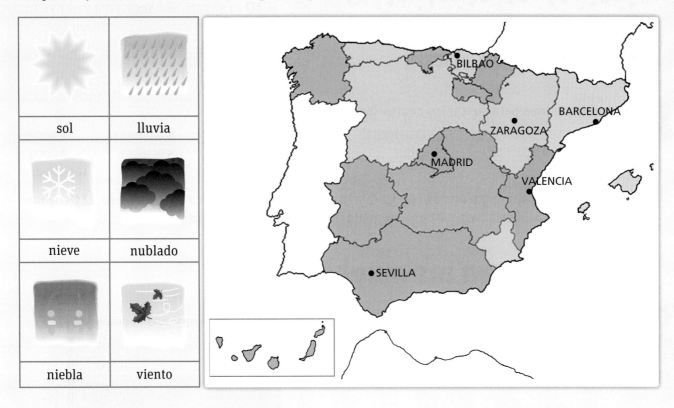

sol	lluvia
nieve	nublado
niebla	viento

Alumno B: Intenta adivinar lo antes posible el tiempo que hace hoy en cada una de las ciudades del mapa.

- Hoy llueve en Bilbao.
- No.
- Está nublado.
- No.
- Hay niebla.
- No.
- Hace sol.
- Sí.

b **Comprobad. Borrad los símbolos y cambiad de papel.**

c **¿Quién de los dos ha adivinado antes el tiempo que hace hoy en esas ciudades?**

Repaso 2

Juego de palabras

1

a Tienes dos minutos para buscar los contrarios de:

- cerca
- debajo
- a la derecha
- no me gusta nada
- modernas
- norte
- cerrado
- aburrida
- bonitos
- delante
- ruidosa
- poco

b En parejas. Por turnos, elige una de esas palabras o expresiones y dísela a tu compañero. Él tiene que decir lo contrario. Si está bien, obtiene un punto. Gana el que obtiene más puntos.

¿Dónde están los muebles?

2

a 🎧 2|17 Escucha y haz una lista de los muebles que hay en la habitación de Alfonso.

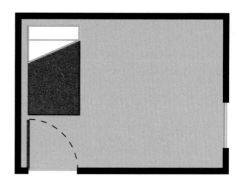

b 🎧 2|18 Escucha de nuevo y dibuja cada mueble (o escribe su nombre) en el lugar donde está.

3

a Coloca los muebles de la lista en el salón. Dibújalos o escribe sus nombres donde quieras.

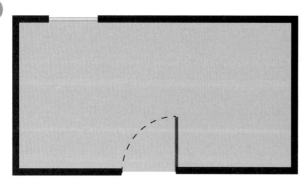

- una mesa redonda
- cuatro sillas
- un sofá
- un sillón
- una mesita cuadrada
- una estantería

b Ahora dile a tu compañero dónde está cada mueble para que lo dibuje o lo escriba donde tú le digas.

c Compara tu salón con el de tu compañero. ¿Ha colocado bien todos los muebles? Coméntalo con el profesor. Si quieres, puedes repetir la actividad con otro compañero.

4 Escucha estos dos fragmentos de música.

a

🎧 2|19

b En parejas. Pensad en una persona a la que creáis que le gusta mucho uno de esos dos fragmentos.

c Escribid sobre ella (sexo, edad, profesión, barrio donde vive, descripción física, carácter y gustos).

d Hablad con otra pareja sobre esa persona. ¿Tiene muchas cosas en común con la persona sobre la que han escrito ellos?

Juego de frases

5 En grupos de cuatro. Juega con un dado y una ficha de color diferente a la de tus compañeros.

- Por turnos. Tira el dado y avanza el número de casillas que indique.
- Di una frase correcta con la(s) palabras(s) de la casilla donde estás.
- Si tus compañeros dicen que está mal, retrocede a donde estabas.

SALIDA	1 cuánto	2 hay	3 a mí	4 bastante	5 jugar	6 a la izquierda
	20 por	21 encanta	22 calor	23 también	24 verdad	7 nos
	19 pocos	32 ver	33 les	34 tampoco	25 cuál	8 está
	18 es	31 lo que	LLEGADA	35 hasta	26 mi	9 qué
	17 se	30 por qué	29 dedicas	28 detrás	27 preferido	10 gustan
	16 debajo	15 ir	14 al	13 ti	12 quién	11 tiempo

¿Verdadero o falso?

6 Marca lo que creas en la columna "Antes de leer".

a

ANTES DE LEER				DESPUÉS DE LEER	
V	F			V	F
☐	☐	1. Sevilla está en el centro de España.		☐	☐
☐	☐	2. Está a unos 500 kilómetros de Madrid.		☐	☐
☐	☐	3. Por Sevilla pasa un río.		☐	☐
☐	☐	4. Tiene un millón de habitantes aproximadamente.		☐	☐
☐	☐	5. En Sevilla hay muchas casas de color blanco.		☐	☐

b Ahora lee estos dos párrafos de un folleto turístico y marca la columna "Después de leer". Compara tus respuestas con las anteriores.

SEVILLA

Sevilla, la ciudad más importante de Andalucía, se halla situada al sur de Madrid, a 542 kilómetros. Por ella pasa el río Guadalquivir, al que los romanos llamaron Betis. Es puerto fluvial y escala de muchas compañías de navegación españolas y extranjeras. También está excelentemente comunicada por vuelos directos a Alicante, Barcelona, Bilbao, Canarias, Madrid, Málaga, Palma de Mallorca, Santiago de Compostela y Valencia.

La estructura urbana de Sevilla, cuya población supera los 700 000 habitantes, fue construida en la Edad Media pensando en cómo evitar el calor del verano. Por eso tiene tantas calles estrechas, pasajes y plazas pequeñas. Las casas suelen ser blancas, con flores en las ventanas, y muchas de ellas tienen un patio, herencia a la vez romana y árabe.

7

a En parejas. Escribid un texto de presentación de la ciudad donde estáis. Podéis consultar folletos turísticos, internet, etc. Incluid también una lista de lugares de interés y marcadlos en un plano de esa ciudad.

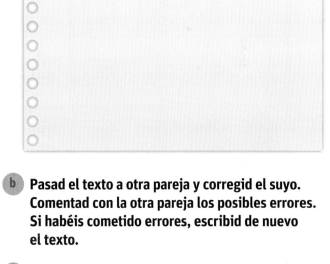

b Pasad el texto a otra pareja y corregid el suyo. Comentad con la otra pareja los posibles errores. Si habéis cometido errores, escribid de nuevo el texto.

c Pegad el texto, el plano y alguna foto de esa ciudad en una cartulina grande y ponedla en una pared de la clase.

11 Un día normal

OBJETIVOS

- Hablar de hábitos cotidianos
- Preguntar y decir a qué hora se hacen las cosas

1 Mira este dibujo del número 6 de la calle de la Rosaleda a las ocho de la mañana de un día normal.

a Luego, lee el texto y subraya lo que no entiendas.

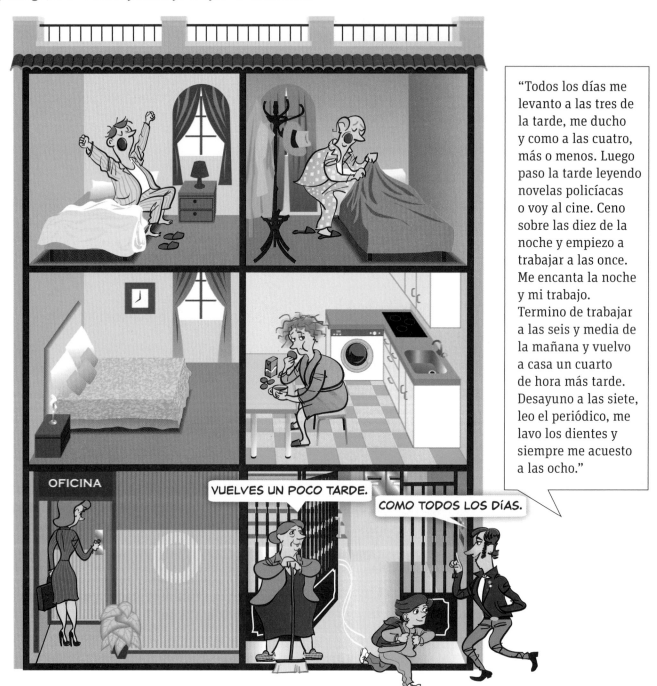

"Todos los días me levanto a las tres de la tarde, me ducho y como a las cuatro, más o menos. Luego paso la tarde leyendo novelas policíacas o voy al cine. Ceno sobre las diez de la noche y empiezo a trabajar a las once. Me encanta la noche y mi trabajo. Termino de trabajar a las seis y media de la mañana y vuelvo a casa un cuarto de hora más tarde. Desayuno a las siete, leo el periódico, me lavo los dientes y siempre me acuesto a las ocho."

OFICINA

VUELVES UN POCO TARDE.

COMO TODOS LOS DÍAS.

b Di a qué persona del dibujo corresponde ese texto.

2 Y tú, ¿a qué hora haces esas cosas normalmente? Escríbelo. Fíjate en el texto de la actividad anterior.

Me levanto a las… Desayuno a las…

3 Escucha y repite lo que oigas solo si es verdadero. Si es falso, no digas nada.

2|20

4 Completa el cuadro con las formas verbales que faltan. Puedes consultar el texto de la actividad 1.

PRESENTE DE INDICATIVO, SINGULAR

	Verbos terminados en -*ar*				
	TRABAJAR	**DESAYUNAR**	**TERMINAR**	**CENAR**	**EMPEZAR**
yo	trabajo	desayuno			empiezo
tú	trabajas		terminas		empiezas
él/ella/usted	trabaja			cena	

	LLAMARSE	**LEVANTARSE**	**DUCHARSE**	**LAVARSE**	**ACOSTARSE**
yo me	llamo				
tú te	llamas	levantas			acuestas
él/ella/usted se	llama		ducha	lava	

	Verbos terminados en -*er*				
	TENER	**COMER**	**LEER**	**HACER**	**VOLVER**
yo	tengo			hago	
tú	tienes	comes		haces	vuelves
él/ella/usted	tiene		lee		vuelve

	Verbos terminados en -*ir*	
	VIVIR	**SALIR**
yo	vivo	salgo
tú	vives	sales
él/ella/usted	vive	

	Verbo *ir*
yo	
tú	vas
él/ella/usted	va

5 **a** Escucha las palabras y escríbelas en la columna correspondiente.

2|21

▪▪	▪▪▪	▪▪▪▪
	ter mi nas	

b Subraya la sílaba fuerte de esas palabras.

c ¿Qué tienen en común todas esas formas verbales? Díselo al profesor.

6 **a** En grupos de cuatro. Habla con tus compañeros y pregúntales a qué hora hacen habitualmente estas cosas. Anótalo.

	Tú			
Levantarse				
Desayunar				
Empezar — a trabajar				
Empezar — las clases				
Comer				
Terminar — de trabajar				
Terminar — las clases				
Volver a casa				
Cenar				
Acostarse				

- ¿A qué hora te levantas?
- A las… (de la…). ¿Y tú?
- …

b Mira el cuadro y responde a las preguntas.

¿Quién de vosotros se levanta antes?

¿Quién come antes?

¿Quién cena más tarde?

¿Quién se acuesta más tarde?

¿Quién vuelve a casa más tarde?

7 Escucha la conversación de Eduardo con una amiga sobre su tía y haz una lista de las horas que oigas.

a

2|22

b Escucha de nuevo y escribe qué hace la tía de Eduardo a cada una de esas horas.

2|23

8 En grupos de tres. ¿Qué creéis que hacen en un día normal los otros vecinos de Rosaleda, 6? Elegid dos

a de ellos y decidid qué hace cada uno.

• Yo creo que el señor Andrés no trabaja.
○ Se levanta a…

b Decídselo a la clase. ¿Están de acuerdo vuestros compañeros?

9 Observa este dibujo y lee el texto. Tu profesor tiene la información que falta. Pídesela y completa los espacios en blanco.

Se llama .... y vive en ....

con .... Todos los días se levanta a las

.... y desayuna en casa.

Luego va a trabajar. Es .... Por las mañanas

trabaja en .... Por las tardes ....

.... Vuelve a casa a las ....,

cena con .... y se acuesta a las

....

- ¿Cómo se llama?
- ....
- ¿Dónde vive?
- ...
- ¿Con quién vive?
- ...

10 ¡Crea otro personaje diferente! Fíjate en el
a esquema anterior y escribe sobre un personaje imaginario. Puedes usar el diccionario.

b Pregunta a tu compañero por su personaje. ¿Es más raro que el tuyo?

11 En grupos de seis. Elige a una de estas personas y piensa qué hace todos los días y a qué hora. Luego, díselo a tus compañeros. ¿Saben quién es?

Forges y el humor

1 **Averigua qué es un chiste.**

a

b **Lee estos dos chistes. ¿Los entiendes? ¿Cuál te gusta más?**

1

NO VUELVO no vuelvo NO VUELVO
no vuelvo no vuelvo NO VUELVO
NO VUELVO no vuelvo NO VUELVO
no vuelvo no vuelvo NO VUELVO

2

DENTISTA

EL SIGUIENTE

c **Los dos han sido creados por Forges, famoso dibujante humorístico español. Lee esta información sobre él con ayuda del diccionario.**

El humorista Antonio Fraguas, Forges, dibuja chistes sobre la vida social y política de España desde 1964. En ellos muestra una visión crítica de las situaciones de la vida cotidiana y política con la que se identifican muchos ciudadanos. Tiene un estilo gráfico personal y muy cómico, con un sentido del humor muy inteligente.

En sus textos, muy ingeniosos, usa lenguaje culto y popular, representativo del lenguaje de la calle. Además, muchas veces usa palabras que crea él mismo. Colabora habitualmente con periódicos y revistas, y participa en diferentes programas de radio. Ha publicado varios libros, es muy popular y ha ganado varios premios.

d **Si lo deseas, puedes buscar en internet más información sobre Forges y leer algunos chistes suyos.**

Recuerda

2 a Ahora lee este chiste sobre lo que hace este señor un día normal.

b En parejas, responded a las preguntas. Podéis usar el diccionario.

- ¿Dónde trabaja ese señor?
- ¿Qué profesión tiene?
- ¿Qué hora crees que es? ¿Por qué?
- ¿Es normal tener una clase de yoga en el trabajo?
- ¿Qué quiere expresar el autor de ese chiste?

c Comentad vuestras respuestas con la clase.

COMUNICACIÓN

Hablar de hábitos cotidianos

- ¿A qué hora te levantas?
- A las ocho.
- ¿Comes en casa?
- No, en el trabajo.
- ¿Qué haces por la tarde?
- Voy a clase de música.

Preguntar y decir a qué hora se hacen las cosas

- ¿A qué hora te acuestas?
- (Me acuesto) A las once aproximadamente.

GRAMÁTICA

Presente de indicativo, singular

Verbos regulares

Desayunar, comer, terminar, cenar, leer, levantarse, ducharse, lavarse.

(Ver resumen gramatical, apartado 7.1.1)

Verbos irregulares

	IR
(yo)	**voy**
(tú)	**vas**
(él/ella/usted)	**va**

(Ver resumen gramatical, apartado 7.1.2.1)

	(e–ie) **EMPEZAR**	(o–ue) **VOLVER**	(o–ue) **ACOSTARSE**
(yo)	emp**ie**zo	v**ue**lvo	me ac**ue**sto
(tú)	emp**ie**zas	v**ue**lves	te ac**ue**stas
(él/ella/usted)	emp**ie**za	v**ue**lve	se ac**ue**sta

(Ver resumen gramatical, apartado 7.1.2.2)

	(-g-) **HACER**	(-g-) **SALIR**
(yo)	ha**g**o	sal**g**o
(tú)	haces	sales
(él/ella/usted)	hace	sale

(Ver resumen gramatical, apartado 7.1.2.4)

Pronombres reflexivos, singular

Me, te, se.

(Ver resumen gramatical, apartado 8.3)

Materiales complementarios

1 Las tres en raya. En grupos de tres. Por turnos, cada alumno elige un verbo y lo conjuga, en la persona indicada, en presente de indicativo. Si lo hace correctamente, escribe su nombre en esa casilla. Gana quien obtiene tres casillas seguidas.

EMPEZAR (tú)	VOLVER (tú)	IR (yo)	DESAYUNAR (usted)	PODER (yo)
SABER (usted)	ABRIR (él)	ACOSTARSE (tú)	QUERER (yo)	CERRAR (ella)
DEDICARSE (tú)	CONOCER (yo)	TERMINAR (él)	LEVANTARSE (ella)	SALIR (yo)
CENAR (yo)	VIVIR (tú)	LEER (yo)	COMER (ella)	TENER (usted)

2 **Lee este texto. Puedes usar el diccionario.**

a

HORARIOS DEL ESPAÑOL MEDIO

Una de las cosas que más sorprenden a los extranjeros cuando visitan España son los horarios que tenemos. Descubren que la gente se acuesta tarde, se levanta pronto y duerme menos que en otros países.

Un español medio se levanta entre las siete y las ocho de la mañana. Desayuna poco, va a su centro de trabajo en transporte público o privado y empieza a trabajar entre las ocho y las nueve de la mañana. A media mañana, sobre las diez o las once, hace un descanso, generalmente va al bar y toma algo con la bebida (un bocadillo o un pincho, por ejemplo). Muchas de las personas que trabajan también por la tarde comen en algún restaurante cerca del trabajo entre la una y las tres, y salen de trabajar a las seis o bastante más tarde. Habitualmente no vuelven directamente a casa y quedan con amigos, toman una copa en algún bar o *pub*, o hacen otras cosas, como, por ejemplo, ir a alguna clase o a algún acto.

El español medio cena tarde en casa, entre las nueve y las diez de la noche; ve la televisión bastante rato y, claro, se acuesta tarde. En opinión de muchos especialistas, los horarios de la televisión son en parte responsables de eso porque hay programas que empiezan a altas horas de la noche y la gente se acuesta cuando terminan.

b **Escribe frases con informaciones verdaderas o falsas sobre lo que hace un día normal el español medio.**

Normalmente, el español medio duerme mucho.

c **Díselas a tu compañero. ¿Sabe cuáles son verdaderas y cuáles son falsas?**

d **¿Qué diferencias encuentras entre España y tu país? Díselas a la clase.**

En mi país, la gente...; en cambio, en España...

12 El fin de semana

OBJETIVOS

- Hablar de hábitos y actividades del fin de semana
- Decir con qué frecuencia hacemos cosas

1 **a** Busca en un diccionario o pregunta el significado de las palabras o expresiones del recuadro que no conozcas.

ir de compras	ir a conciertos	lavar la ropa	limpiar la casa
pasear	montar en bicicleta	cocinar	ir al campo
ir a la montaña	esquiar	comer/cenar fuera	hacer deporte
hacer la compra	ir de copas	ver exposiciones	hacer gimnasia

b Observa los dibujos y escribe debajo de cada uno la palabra o expresión correspondiente.

Montar en bicicleta ....

....

2 ¿Te gusta hacer las cosas de la lista anterior? ¿Y a tu compañero? Coméntalo con él.

- A mí no me gusta ir de compras, ¿y a ti?
- A mí | tampoco.
  | sí.
  | me gusta mucho.
  | me encanta.

3 Lee lo que dicen estas personas. ¿Qué actividades de 1a mencionan?

TIEMPO LIBRE

"Los sábados nos levantamos tarde. Por la mañana hacemos la limpieza y la compra. Por la tarde leemos un poco o escuchamos música, y por la noche cenamos fuera, vamos al cine o a algún concierto... y luego de copas. Los domingos por la mañana normalmente vamos a ver alguna exposición y a veces comemos con la familia. Luego pasamos la tarde en casa y nos acostamos pronto."

Maite Larrauri y Juan Pozas.
Enfermera y arquitecto. Casados. 28 y 32 años.

Elena Ramos.
Médica. Divorciada. 51 años.

"Pues yo voy al campo muchos fines de semana. Los sábados que estoy en Madrid me levanto a la hora de todos los días y a veces voy de compras. Por la tarde siempre salgo con algún amigo y vamos al cine, al teatro, a bailar... Los domingos son mucho más tranquilos: me gusta comer en casa y por la tarde no salgo. Es cuando realmente descanso."

4 Completa este esquema gramatical. Puedes consultar el texto anterior.

PRESENTE DE INDICATIVO, PLURAL

	Verbos terminados en -*ar*			
	CENAR	**PASEAR**	**LEVANTARSE**	**ACOSTARSE**
nosotros/nosotras	cenamos	paseamos	nos levantamos	
vosotros/vosotras	cenáis	paseáis	os	os acostáis
ellos/ellas/ustedes	cenan	pasean	se	se acuestan

	Verbos terminados en -*er*			
	HACER	**COMER**	**LEER**	
nosotros/nosotras	hacemos		leemos	volvemos
vosotros/vosotras	hacéis	coméis		volvéis
ellos/ellas/ustedes	hacen			vuelven

	Verbos terminados en -*ir*	
	VIVIR	**SALIR**
nosotros/nosotras	vivimos	
vosotros/vosotras	vivís	
ellos/ellas/ustedes	viven	

	Verbo *ir*
nosotros/nosotras	
vosotros/vosotras	vais
ellos/ellas/ustedes	van

Fonética

Diptongos

5 Escucha estas palabras y escríbelas en la columna correspondiente.

a

2|24

/ai/	/ei/
bailar	veinte

b Escucha y comprueba.

2|25

c Escucha y repite.

2|26

6 Escucha esta conversación entre Sara y Alfonso sobre lo que hacen el fin de semana. Numera las
a actividades siguiendo el orden en que las oigas.

2|27

		Sara y su marido	Alfonso y su mujer
	Pasear		
1	Ir al campo		
	Trabajar en el jardín		
	Ir al cine		
	Salir		
	Ir al teatro		
	Limpiar la casa		
	Montar en bici		
	Ir a conciertos		

b A Sara y a su marido les gusta mucho el campo, y a Alfonso y a su mujer, la ciudad. ¿Qué actividades
crees que hace cada pareja? Márcalo en el cuadro.

c Escucha y comprueba.

2|28

7 En parejas (A-B). Imaginad que sois amigos y vivís juntos. Escribid cinco cosas que hacéis juntos y tres
que hacéis por separado los fines de semana.

Siempre vamos al campo…

8 Cambio de parejas (A-A y B-B). Hablad de lo que hacéis los fines de semana.

● ¿Qué hacéis los fines de semana?
○ Pues (nos levantamos sobre las diez…). ¿Y vosotros?
● Nosotros (nos levantamos antes, sobre las…).

9 En parejas (A-B) de nuevo. Comentad lo que hacen esos amigos los fines de semana. ¿Hacen algo
divertido o algo raro?

133 ciento treinta y tres

Frecuencia

10 **Observa.**

a

Siempre	Normalmente	A menudo	A veces	Nunca

b **Lee de nuevo los textos de la actividad 3 y busca esas expresiones de frecuencia. ¿Cuántas aparecen?**

c **Piensa en las cosas que haces tú los sábados y escríbelo.**

○ Siempre ....
○
○ Normalmente ....
○
○ .... a menudo.
○
○ A veces ....
○
○ No .... nunca ....
○

11 **¿Verdadero o falso? Pregunta a tus compañeros.**

	V	F
1. Dos personas de esta clase se acuestan siempre tarde.	☐	☐
2. Uno de vosotros no ve nunca la televisión.	☐	☐
3. Cuatro personas de esta clase llevan siempre vaqueros.	☐	☐
4. Todos vais al cine a menudo.	☐	☐
5. Dos de vosotros llegáis normalmente tarde a clase.	☐	☐
6. Tres personas de esta clase no hacen nunca los deberes.	☐	☐

● ¿Te acuestas siempre tarde?
○ Sí/No, ¿y tú?
● Yo | también.
    | no.
    | tampoco.
    | sí.

12 Piensa en lo que haces los fines de semana. Si necesitas alguna palabra, pídesela al profesor.
a

b Habla con tu compañero sobre sus fines de semana y toma nota.

13 Usa la información de la actividad anterior y escribe sobre los fines de semana de tu compañero.
a

b Dale el papel que has escrito al profesor y pídele otro.

c Lee en voz alta el papel que te ha dado el profesor hasta que otro alumno reconozca su información y diga: "¡Soy yo!".

La teleadicción

1
a

Lee este artículo y pregunta al profesor qué significa lo que no entiendas.

ADICTOS A LA TELEVISIÓN

Ver la televisión es la actividad que más realizan los europeos en su tiempo libre. Según los resultados de un informe elaborado por el Open Society Institute (OSI), los ciudadanos de la Unión Europea (UE) consumen 217 minutos diarios frente al televisor. Los más "teleadictos" son los húngaros, con 274 minutos, y los polacos, con 250 minutos al día.

Los españoles ven la televisión 217 minutos, cantidad de tiempo que coincide exactamente con la media europea. Quienes más la ven son los mayores de 64 años (306 minutos), las clases medias y

bajas (238 minutos), y las mujeres (236 minutos). Los niños la ven 218 minutos, algo que mucha gente considera preocupante. Y el día que tiene una mayor audiencia tele-visiva es el domingo (234 minutos).

El informe revela que el televisor o "caja tonta", como la llaman no pocos españoles, es la primera fuente de información para los europeos. También muestra que estos prefieren las cadenas públicas a las privadas y que es el medio más influyente para formar la opinión pública.

La Nación

b **Ahora escribe las respuestas a estas preguntas.**

1. ¿Qué es la UE?
2. ¿Qué es lo que más hacen los europeos en su tiempo libre?
3. ¿Cuántos minutos diarios están los españoles delante del televisor?
4. ¿En qué país de la UE se ve más la televisión?
5. ¿Qué personas ven más la televisión en España?
6. ¿De qué forma llaman en este artículo a esas personas que ven mucho la televisión?
7. ¿Cómo llaman muchos españoles a la televisión?
8. ¿Cuál es el medio de comunicación más usado por los europeos?

Recuerda

COMUNICACIÓN

Hablar de hábitos y actividades del fin de semana

- ● ¿Qué haces los sábados por la mañana?
- ○ Normalmente me levanto tarde y luego hago la compra.
- ● Nosotros salimos todos los sábados por la tarde. ¿Y vosotros?
- ○ Nosotros también.

GRAMÁTICA

Presente de indicativo, singular y plural
Verbos regulares

  (Ver resumen gramatical, apartado 7.1.1)

Verbos irregulares

	(o–ue)	(o–ue)
IR	**VOLVER**	**ACOSTARSE**
voy	vuelvo	me acuesto
vas	vuelves	te acuestas
va	vuelve	se acuesta
vamos	volvemos	nos acostamos
vais	volvéis	os acostáis
van	vuelven	se acuestan

  (Ver resumen gramatical, apartados 7.1.2.1 y 7.1.2.2)

(-g-)	(-g-)
HACER	**SALIR**
hago	salgo
haces	sales
hace	sale
hacemos	salimos
hacéis	salís
hacen	salen

  (Ver resumen gramatical, apartado 7.1.2.4)

Pronombres reflexivos, plural

  Nos, os, se.

  (Ver resumen gramatical, apartado 8.3)

COMUNICACIÓN

Decir con qué frecuencia hacemos cosas

- ● Siempre llego tarde a clase.
- ● Normalmente me levanto a las ocho.
- ● Mi amigo Raúl me escribe a menudo.
- ● A veces llega tarde a clase.
- ● No hago nunca los deberes.
- ● Nunca hago los deberes.

GRAMÁTICA

La frecuencia

  Siempre, normalmente, a menudo, a veces, nunca.

  (Ver resumen gramatical, apartado 14.1)

---

2 **Piensa en estas cuestiones. Puedes usar el diccionario. Luego, coméntalas con tus compañeros.**

1. ¿Crees que en tu país veis la televisión más que en España?
2. ¿Qué personas crees que ven más la televisión en tu país?
3. Y tú, ¿la ves mucho? ¿Cuántas horas al día?
4. ¿La ves los fines de semana?
5. ¿Qué tipo de programas te gustan?

3 **En parejas. Escribid un aspecto positivo y otro negativo que tiene la televisión. Podéis usar el diccionario. Luego, decídselo a la clase.**

4 **Mira este chiste.**

a

b **En parejas. ¿Podéis dibujar otro chiste sobre la televisión?**

1 Juegos de verbos. En grupos de cuatro. Juega con un dado y una ficha de color diferente a la de tus
a compañeros.

	1	**2**	**3**	**4**	**5**
SALIDA	COMER (ustedes)	PASEAR (yo)	LEVANTARSE (nosotras)	VOLVER (vosotros)	LEER (tú)
19 LEVANTARSE (ellos)	**20** SALIR (él)	**21** TIRA OTRA VEZ	**22** LEER (vosotros)	**23** EMPEZAR (nosotros)	**6** COCINAR (ellos)
18 VIVIR (nosotras)	**31** ESCRIBIR (nosotros)	**32** SALIR (vosotras)	**33** DEDICARSE (ustedes)	**24** HACER (ellas)	**7** TIRA OTRA VEZ
17 SABER (tú)	**30** ESQUIAR (ellas)	**34** LLEGADA	**34** ACOSTARSE (vosotros)	**25** LLAMARSE (nosotras)	**8** IR (usted)
16 PASEAR (vosotras)	**29** IR (nosotras)	**28** UN TURNO SIN TIRAR	**27** VER (vosotros)	**26** VOLVER (usted)	**9** DEDICARSE (vosotras)
15 VER (ella)	**14** UN TURNO SIN TIRAR	**13** ACOSTARSE (nosotros)	**12** VIVIR (ustedes)	**11** EMPEZAR (yo)	**10** HACER (nosotros)

b Por turnos. Tira el dado y avanza el número de casillas que indique. Di la forma verbal en presente
de indicativo. Si tus compañeros dicen que está mal, retrocede a donde estabas.

2 **El fin de semana. Lee lo que dicen Mónica y Enrique sobre sus fines de semana.**

a

"Normalmente, los sábados nos levantamos tarde. Por la mañana hacemos deporte: vamos a la piscina y nadamos un rato, pues nos gusta mucho. Luego hacemos la compra y comemos en casa. Muchos sábados dormimos la siesta y después salimos, casi siempre con amigos. A veces vamos al cine, a veces vamos de copas... y siempre volvemos a casa tarde y nos acostamos tarde. Los domingos por la mañana desayunamos tranquilamente y luego paseamos o montamos en bicicleta. Después de comer vemos un poco la televisión, leemos el periódico, entramos en internet... Muchos domingos por la tarde preparamos cosas para la semana siguiente, repasamos lo estudiado en la clase de inglés durante la semana y hacemos los deberes, claro."

b **Juego de memoria. Cierra el libro y escribe frases expresando lo que hacen Mónica y Enrique.**

(Normalmente,) Los sábados se levantan tarde.

c **Compara con tu compañero. ¿Quién tiene más frases correctas?**

3 **¿Haces tú también los fines de semana algunas de las cosas de la actividad 2a? Escríbelo.**

a

Yo también hago deporte los sábados por la mañana.

b **Compara con tu compañero y averiguad en qué coincidís.**

c **Comentad esas coincidencias a la clase. ¿Qué pareja coincide en más cosas?**

Eva y yo hacemos deporte los sábados por la mañana.

13

El trabajo

OBJETIVOS

- Hablar del trabajo o los estudios
- Expresar condiciones de trabajo
- Expresar aspectos positivos y negativos del trabajo
- Hablar sobre medios de transporte
- Preguntar y decir con qué frecuencia hacemos cosas

1

a Lee estas palabras y expresiones y pregunta al profesor qué significan las que no conozcas.

- taxista
- hace fotos
- da clases
- empresaria

- fotógrafo
- profesora
- atiende a los pasajeros
- trabaja en el Ministerio

- corta el pelo
- conduce un taxi
- músico
- funcionario

- toca la guitarra
- azafata
- peluquero
- tiene una empresa

b Completa con las palabras y frases del recuadro.

1

Tomás es músico.
Toca la guitarra
en un grupo de *rock*.

2

Olga es ....
....
por Madrid.

3

Margarita es ....
....
de Matemáticas en un instituto.

4

Javier es ....
....
de Trabajo.

5

Elisa es ....
....
de un avión.

6

Nacho es ....
....
para revistas de moda.

7

Jaime es ....
....
en una peluquería
unisex.

8

María Luisa es ....
....
de informática.

2 En grupos de tres o cuatro. Piensa en lo que haces en tu trabajo. Si eres estudiante, elige una profesión
a que te guste.

b Explícaselo como puedas a tus compañeros.

Soy dentista.

No entiendo.

c ¿Hace alguno de tus compañeros algo curioso o interesante? ¿Has aprendido alguna palabra nueva?
Díselo a la clase.

Medios de transporte

3 Observa los dibujos y di qué medios de transporte puedes utilizar en tu pueblo o tu ciudad.

| Metro | Autobús | Tren | A pie | Avión | Coche | Bicicleta | Moto |

4 Fíjate.
a

Ir-Venir

Ir Venir	en	coche autobús metro moto tren taxi bicicleta avión
	andando a pie	

b Escucha y lee.

🎧 2|29

- ¿Cómo vas al trabajo?
- En coche.
- ¿Cuánto tardas en llegar?
- Unos veinte minutos. Y tú, ¿cómo vienes a clase?
- Andando.
- ¿Y cuánto tardas?
- Diez minutos.

c Escucha y repite.

🎧 2|30

5 Habla con tus compañeros y descubre
estas informaciones.

- ¿Cuál es el medio de transporte más usado
  por la clase?
- ¿Quién tarda menos en llegar a clase?
- ¿Quién tarda más?

Frecuencia

6 **Ordena de más a menos estas expresiones de frecuencia.**

- una vez al día
- tres veces al mes
- cuatro o cinco veces al año
- nunca
- muchas veces al día
- una vez cada tres días
- una vez | a la | semana
        | por |

1. muchas veces al día
2. una vez al día
3. una vez cada tres días
4. una vez a la semana
5. tres veces al mes
6. cuatro o cinco veces al año
7. nunca

7 **Pregunta a tus compañeros y escribe el nombre de uno de ellos en cada caso.**

¿Quién...	Nombre
... toma el tren una vez a la semana?	
... trabaja cuarenta horas a la semana?	
... coge el metro una vez cada dos días?	
... tiene dos días libres por semana?	
... viaja en avión una vez cada tres o cuatro meses?	
... estudia una hora al día?	
... toma el autobús varias veces al día?	

- ¿Cuántas veces tomas el tren a la semana?
- Ninguna. | ¿Y tú?
  Una.
  Dos.
  ...
- Yo, siete veces más o menos.

- ¿Cuántas horas trabajas a la semana?
- Cuarenta. ¿Y tú?
- Cuarenta también.
  Yo no trabajo. Estoy en paro.
  ...

8
a ¿Con qué frecuencia haces estas cosas en tu trabajo? Escríbelo en la columna correspondiente. Si eres estudiante, imagínate que tienes la profesión que has elegido en la actividad 2a.

	Tú	Tu compañero
Ir al extranjero		
Hablar con tu jefe		
Comer con clientes		
Hablar por teléfono		
Llegar tarde		
Celebrar videoconferencias		
Tener reuniones de equipo		
Enviar correos electrónicos		

b Ahora pregúntale a tu compañero y anota sus respuestas.

- ● ¿Vas al extranjero a menudo?
- ○ | Sí. (Una vez al mes).
    Bastante. (Una vez cada cuatro meses más o menos).
    No. (Voy poco). (Una vez cada dos años).
    No. (No voy nunca).

c Comparad vuestras respuestas. ¿Coincidís en algo?

9 **Lee lo que dicen Olga y Jaime.**

Lo que más me gusta de mi trabajo es hablar con la gente. Lo que menos, el horario.

Pues a mí lo que más me gusta es que es un trabajo creativo. Lo que menos, que gano poco.

10 **Piensa en lo que más y en lo que menos te gusta de:**

a
- tu trabajo o tus estudios
- tu pueblo o tu ciudad
- el español
- el centro donde estudias
- la clase de español

Pídele ayuda al profesor si la necesitas.

b **Coméntalo con tu compañero.**

11 **Relaciona las preguntas y las respuestas (solo hay una posibilidad para cada caso).**

a
- ¿Trabajas los fines de semana?
- ¿Qué horario tienes?
- ¿Cuántas horas trabajas al día?
- ¿Cuántas vacaciones tienes al año?
- ¿Te gusta tu trabajo?
- ¿Qué es lo que más te gusta de tu trabajo?
- ¿Qué es lo que menos te gusta de tu trabajo?

- Un mes.
- Ocho. *el salario*
- El sueldo. No gano mucho.
- Que puedo conocer a mucha gente.
- Sí, los sábados por la mañana.
- De nueve a dos y de tres a seis.
- Sí, me encanta.

b **Escucha y comprueba.**

🎧 2|31

12 **Escucha y repite.**

🎧 2|32
- ¿Cuántas horas trabajas al día?
- ¿Qué horario tienes?
- ¿Trabajas los fines de semana?

- ¿Cuántas vacaciones tienes al año?
- ¿Qué es lo que más te gusta de tu trabajo?
- ¿Y lo que menos?

13 Escucha esta entrevista y completa el cuadro.

🎧
2|33

Profesión	
Horas de trabajo al día	
Días libres	
Vacaciones	
Lo que más le gusta de su trabajo	
Lo que menos le gusta de su trabajo	
¿Está contento con su trabajo?	

14 En parejas. Preparad las preguntas para una encuesta sobre las condiciones de trabajo.

a

1. Profesión
   ¿A qué se dedica?
   ....
2. Número de horas de trabajo a la semana

   ....
3. Horario

   ....
4. Días libres

   ....
5. Vacaciones

   ....
6. Lo que más le gusta

   ....
7. Lo que menos le gusta

   ....
8. ¿Está contento con su trabajo?

   ....

b Antes de realizar la encuesta, piensa en tus respuestas a esas preguntas. Si no tienes trabajo, elige uno e imagínate las condiciones.

c Ahora, haced la encuesta. El alumno A es el encuestador y el alumno B es el encuestado.

Podéis empezar así:

Mire, soy de Radio... y estoy haciendo una encuesta sobre las condiciones de trabajo. ¿Podría hacerle unas preguntas?

Podéis terminar así:

Bien, pues esto es todo. Muchas gracias por su colaboración.

Viajar por Perú

1 Lee estas frases y pregúntale al profesor qué significan las palabras que no entiendas.

a

	V	F
1. El medio de transporte que más utilizan los peruanos es el barco.	☐	☑
2. La carretera Panamericana comunica Perú con otros países latinoamericanos.	☑	☐
3. Por el río Amazonas se puede navegar.	☐	☐
4. La gente va a Machu Picchu en autobús.	☐	☐
5. La línea de tren más alta del mundo pasa por los Andes.	☐	☐

b Lee el texto y señala si esas frases son verdaderas o falsas.

Viajar por Perú

Perú es un país muy montañoso en el que viajar es a veces una experiencia inolvidable que nos permite descubrir paisajes espectaculares y de una gran belleza.

El medio de transporte más popular es el ómnibus o autobús, y la carretera más importante es la Panamericana, que une los diferentes países latinoamericanos.

Sin embargo, no es posible ir en ómnibus a todas las zonas del país. A muchos lugares de la selva amazónica, por ejemplo, solo se puede llegar en barco, navegando lentamente por las misteriosas aguas del río Amazonas u otros ríos, lo que es una experiencia extraordinaria.

El tren es el único medio de transporte que nos lleva a algunos lugares de los Andes, como Machu Picchu. Además, podemos recorrer la región andina en la línea de tren más alta del mundo: el ferrocarril que va de Lima a Huancayo asciende hasta los 4815 metros; viajar en él es vivir una aventura por los altiplanos de los Andes.

c **Comenta con tus compañeros las informaciones más interesantes para ti.**

Recuerda

COMUNICACIÓN

Hablar del trabajo o los estudios
Expresar condiciones de trabajo
Expresar aspectos positivos y negativos del trabajo
- ¿Qué haces en tu trabajo?
○ Atiendo a los clientes.
- ¿Cuántas horas trabajas al día?
○ Seis.
- ¿Qué horario tienes?
○ De nueve a tres.
- ¿Qué es lo que más te gusta de tu trabajo?
○ El horario.
- ¿Y lo que menos?
○ Que gano poco.

GRAMÁTICA

Cuantificadores
Mucho, bastante, poco.
- Trabajo mucho y gano poco.
- Marisol estudia bastante.
  (Ver resumen gramatical, apartado 16)

COMUNICACIÓN

Hablar sobre medios de transporte
- ¿Cómo vienes a clase?
○ En autobús.
- ¿Cuánto tardas?
○ Media hora.

GRAMÁTICA

Interrogativos
¿Cómo?
  (Ver resumen gramatical, apartado 9.7)

Verbo *venir*
  (Ver resumen gramatical, apartado 7.1.2.5)

COMUNICACIÓN

Preguntar y decir con qué frecuencia hacemos cosas
- ¿Hablas por teléfono a menudo?
○ Sí, varias veces al día. / No, una vez cada dos o tres días.

GRAMÁTICA

Expresiones de frecuencia
Una vez al día, dos veces por semana, una vez cada tres días...
  (Ver resumen gramatical, apartado 14.2)

Preposiciones

de... a	**De** ocho **a** cuatro
desde... hasta	**Desde** las ocho **hasta** las cuatro
en	Siempre vengo a clase **en** moto
a	Una vez **a** la semana
por	Una vez **por** semana

1 En parejas (A y B). Lee el texto incompleto que te corresponda y asegúrate de que lo entiendes. Luego, hazle a tu compañero las preguntas necesarias para completarlo.

Alumno A
¡No leas el texto del Alumno B!

Clara es profesora y trabaja en una .... pública: da clases de Literatura Hispanoamericana en tres cursos distintos. Vive bastante lejos de la universidad y va a trabajar en .... Por la mañana tarda unos 25 minutos en llegar al trabajo; por la tarde tarda menos en volver a casa, ... minutos, porque hay menos tráfico.

Le encanta su trabajo y lo que más le gusta de él es ....; lo que menos, corregir exámenes. Da .... horas de clase a la semana, pero dedica dos o tres horas al día a preparar las clases porque es muy profesional y le gusta hacer bien las cosas.

También le gusta mucho .... y va dos días a clase de piano, los martes y los jueves, de .... a .... de la noche. Toca muy bien y a veces da conciertos en un club de músicos aficionados que hay en su barrio.

Alumno B
¡No leas el texto del Alumno A!

Clara es profesora y trabaja en una universidad pública: da clases de .... en tres cursos distintos. Vive bastante lejos de la universidad y va a trabajar en coche. Por la mañana tarda .... minutos en llegar al trabajo; por la tarde tarda menos en volver a casa, unos 15 minutos, porque hay menos tráfico.

Le encanta .... y lo que más le gusta de él es que sus alumnos son jóvenes y alegres; lo que menos, ... Da doce horas de clase a la semana, pero dedica .... horas al día a preparar las clases porque es muy profesional y le gusta hacer bien las cosas.

También le gusta mucho la música y va dos días a clase de .... los martes y los jueves, de siete a nueve de la noche. Toca muy bien y a veces da conciertos en un .... de músicos aficionados que hay en su barrio.

2 **Lee este cuestionario y pregunta al profesor qué significan las palabras que no entiendas.**

a

TU TRABAJO Y TÚ

1. ¿Te gusta tu trabajo?
a) Me encanta. ☐   b) Sí. ☐   c) No. ☐

2. ¿Cuántas horas trabajas al día?
a) Menos de ocho. ☐   b) Ocho. ☐   c) Más de ocho. ☐

3. ¿Estás satisfecho con lo que haces en tu trabajo?
a) Mucho. ☐   b) Sí. ☐   c) No. ☐

4. ¿Te sientes relajado en él?
a) Siempre. ☐   b) A veces no. ☐   c) Normalmente no. ☐

5. ¿Tienes buenas relaciones con tus compañeros?
a) Excelentes. ☐   b) Normales. ☐   c) Malas. ☐

6. ¿Te llevas trabajo a casa?
a) Casi nunca. ☐   b) A veces. ☐   c) A menudo. ☐

7. ¿Piensas mucho en tu trabajo cuando no estás en él?
a) Muy poco. ☐   b) Ni mucho ni poco. ☐ c) Sí, mucho. ☐

8. ¿Piensas en tu trabajo cuando estás en la cama?
a) Casi nunca. ☐   b) A veces. ☐   c) A menudo. ☐

9. ¿Fumas cuando trabajas?
a) No. ☐   b) Un poco más que   c) A menudo. ☐
                          cuando no trabajo. ☐

10. ¿Cuántas horas duermes al día?
a) Ocho o más. ☐   b) Entre seis y ocho. ☐ c) Menos de seis. ☐

b **Ahora responde al cuestionario.**

c **Averigua el resultado.**

Puntuación	Interpretación
a) 2 puntos	0-8 puntos: ¡Cambia de trabajo inmediatamente!
b) 1 punto	9-14 puntos: No estás mal en tu trabajo.
c) 0 puntos	15-20 puntos: ¡Enhorabuena! Estás muy bien en tu trabajo.

14

¿Sabes nadar?

OBJETIVOS

- Expresar habilidad para hacer algo
- Expresar conocimiento
- Expresar desconocimiento
- Valorar
- Expresar opiniones
- Expresar acuerdo
- Expresar desacuerdo
- Presentar un contraargumento

1

a Relaciona las fotos con estas palabras y expresiones.

- nadar ☐
- tocar un instrumento musical ☐
- jugar al baloncesto ☐

- cantar ☐
- jugar al ajedrez ☐
- esquiar ☐

- jugar a las cartas ☐
- conducir ☐
- pintar ☐

b ¿Cuáles de esas actividades son deportes? ¿Y juegos de mesa? ¿Cuáles relacionas con la música?

2 **Asegúrate de que entiendes este chiste.**

a

b **¿Sabes tú hacer alguna de esas cosas? Díselo a tu compañero.**

- (Yo sé bailar, pero no sé tocar la guitarra).
- ○ (Pues yo no sé bailar ni tocar la guitarra).

3 **Observa cómo se puede hablar de la habilidad para hacer algo.**

• ¿Sabes jugar al baloncesto?
○ Sí, ¿y tú?
• Yo | también.
| no.

• ¿Sabes pintar cuadros?
○ No, ¿y tú?
• Yo | tampoco.
| sí.

4 **¿Quién conoce mejor al compañero? ¿Crees que**
a **tu compañero sabe hacer estas cosas? Marca la**
columna correspondiente.

	Sabe	No sabe
Nadar		
Cocinar		
Conducir		
Jugar al ajedrez		
Esquiar		
Cantar		
Dibujar		
Jugar a las cartas		
Jugar al tenis		
Tocar el piano		
Bailar salsa		

b **Ahora pregúntale y marca sus respuestas con**
otro color.

- • ¿Sabes nadar?
- ○ Sí, \| ¿y tú?
- No, \|
- • Yo...

c **¿Tienes más aciertos que tu compañero?**

Valoraciones

5 Lee estas viñetas y asegúrate de que entiendes todo.

6 Piensa en las cosas de la actividad 4 que tu compañero y tú sabéis hacer. Averigua si él las hace bien. ¿Quién las hace mejor?

- ● ¿Nadas bien?
- ○ Normal, ni bien ni mal. ¿Y tú?
- ● Así, así.

7 En grupos de cuatro. Piensa en otras cosas que haces bien. ¿Cómo las hacen tus compañeros? ¿Con cuál coincides en más cosas?

- ● Yo juego bastante bien al fútbol. Y vosotros, ¿jugáis bien?
- ○ Yo, bastante bien también.
- ■ Yo, normal, ni bien ni mal.
- ▢ Yo, así, así; soy bastante malo.

Expresar conocimiento

8 ¿Son verdaderas o falsas para ti estas frases? Márcalo.

	V	F
1. No conozco páginas web españolas o latinoamericanas.	☐	☐
2. Conozco un *blog* en español muy interesante.	☐	☐
3. No sé cómo se dice "@" en español.	☐	☐
4. Sé muchas direcciones electrónicas de memoria.	☐	☐
5. No sé decir los números del 20 al 0 rápidamente.	☐	☐
6. Sé los nombres de los muebles de mi casa en español.	☐	☐
7. Conozco dos países de habla hispana.	☐	☐
8. No conozco todas las calles de mi pueblo (o ciudad).	☐	☐
9. Conozco a una española muy graciosa.	☐	☐
10. Conozco muy bien a mi profesor (o profesora).	☐	☐

9
a ¿Saber o conocer? ¿Qué verbo se ha utilizado en la actividad anterior para referirse a lugares? ¿Y a personas? ¿Y a cosas u objetos? ¿Y a informaciones o conocimientos?

b ¿Cuándo se ha usado la preposición *a* con uno de esos verbos?

c Sustituye las frases de la actividad 8 que son falsas para ti por otras verdaderas.

10 ¿Conoces o sabes todo esto? Escribe *sí* o *no* en la columna correspondiente.

a

	Tú		
1. Un pueblo ideal para vacaciones			
2. Chatear en español			
3. Una persona latina para practicar español con ella			
4. ¿Cómo se dice *e-mail* en español?			
5. Una playa muy bonita y muy tranquila			
6. Un diccionario muy bueno de español			
7. Describir tu casa en español			
8. Una persona que baila muy bien, casi como un profesional			

b **En grupos de tres. Pregúntales a tus compañeros y anota sus respuestas.**

- ¿Conoces un pueblo ideal para vacaciones?
- Sí, ¿y tú?
- Yo también.
- Yo no.

c **Observad el cuadro y comentad quién tiene más respuestas afirmativas.**

Pat tiene más respuestas afirmativas: conoce un pueblo ideal para vacaciones, sabe chatear en español,...

11 **Escucha varias conversaciones y relaciónalas con la ilustración correspondiente.**

a

2|34

b **Vuelve a escuchar las conversaciones y comprueba si coinciden los hablantes.**

2|35

	Coinciden	No coinciden
1.	☐	☐
2.	☐	☐
3.	☐	☐
4.	☐	☐
5.	☐	☐
6.	☐	☐

12

a Posiblemente te gustaría conocer más a un compañero al que no conoces mucho. Pregúntale sobre lugares, personas o cosas que conoce, sobre cosas que sabe hacer y si las hace bien, etc.

> ● ¿Cuántos países conoces?
> ○ Tres.
> ● ¿Y qué países son?
> ○ ...

b ¿Coincides en algo con él? Díselo a la clase.

> Los dos conocemos tres países...

Opiniones

13

a Lee y responde. ¿Cuántas personas están de acuerdo con lo que dice esa chica? ¿Y en desacuerdo?

b Escucha y repite esas frases.

2|36

14 Estos adjetivos se pueden usar con el verbo *ser* para valorar acciones y expresar opiniones. ¿Puedes formar tres pares de contrarios?

- interesante
- importante
- bueno
- divertido
- difícil
- necesario
- malo
- aburrido
- fácil
- útil

15 Escucha varios diálogos y completa el cuadro.

2|37

A.

¡Hola! Ni hao! Hello!

B.

C.

D.

E.

	Diálogo n.º	Valoración	¿Están de acuerdo?
A.			
B.			
C.			
D.			
E.			

16 ¿Cómo valoras cada una de estas acciones? Anota los adjetivos.

a

1. Hablar idiomas: ....

2. Saber informática: ....

3. Aprender a tocar un instrumento musical: ....

4. Tener buenos amigos: ....

5. Trabajar demasiado: ....

6. Viajar a otros países: ....

7. Conocer otras culturas: ....

8. Aprender una lengua extranjera cuando eres pequeño: ....

b En grupos de cuatro. Expresa tu opinión sobre esas cosas. ¿Están tus compañeros de acuerdo contigo?

● Yo creo que hablar idiomas es necesario para viajar.
○ Sí, pero también es útil porque puedes encontrar un trabajo interesante.

Hispanoamericanos ganadores del Premio Nobel

1 **a** Piensa en las respuestas a estas preguntas y coméntalas con tus compañeros.

- ¿Qué sabes de los Premios Nobel?
- ¿En qué país te hacen pensar?
- ¿Por qué se llaman así?

b Lee y comprueba. Pregúntale al profesor qué significa lo que no entiendas.

Los Premios Nobel tienen el nombre del químico e ingeniero sueco Alfred Nobel (1833-1896) porque cuando murió destinó su fortuna a premiar cada año a personas que contribuyen al bienestar y progreso de la humanidad en los campos de la Física, la Química, la Fisiología o la Medicina, la Literatura, la Paz y la Economía.

Hispanoamérica tiene quince Premios Nobel y sobresale en las áreas de Literatura, con seis premios, y de la Paz, con cinco.

La última persona hispanoamericana que ganó el premio fue Mario Vargas Llosa, premio nobel de literatura 2010. La anterior premiada fue Rigoberta Menchú, líder indígena guatemalteca, que ganó el Premio Nobel de la Paz en 1992 por su trabajo por la paz, los derechos de los indígenas y la justicia social.

Rigoberta Menchú, premio nobel de la paz en 1992.

c Asegúrate de que entiendes estos adjetivos de nacionalidad.

chileno   guatemalteco   colombiano   peruano   mexicano   chilena

d En parejas. Intentad relacionarlos con los escritores hispanoamericanos ganadores del Premio Nobel.

Gabriela Mistral, 1945

Miguel Ángel Asturias, 1967

Pablo Neruda, 1971

Recuerda

Gabriel García
Márquez, 1982

Octavio Paz,
1990

Mario Vargas Llosa,
2010

● Yo creo que Gabriela Mistral es chilena.
○ Yo | también.
| no. Yo creo que es…

e **¿Sabes cuál de esos escritores es el autor de *Cien años de soledad*, una de las novelas más famosas escritas en español?**

f **En parejas. ¿Conocéis a otros hispanoamericanos famosos? Escribid el nombre, la profesión y la nacionalidad. Podéis usar el diccionario.**

g **Decídselos a vuestros compañeros. ¿Conocen a alguno?**

h **Si queréis obtener más información sobre esos hispanoamericanos y los de los apartados b y d, podéis buscarla en internet.**

COMUNICACIÓN
Expresar habilidad para hacer algo
● Sé nadar y esquiar.
Expresar conocimiento
● Sé inglés.
● ¿Sabes mi número de teléfono?
● ¿Conoces a Diana, mi profesora?
● Conozco Colombia.
Expresar desconocimiento
● No sé alemán.
● No sé qué día es hoy.
● No conozco al director.
● No conozco México.

GRAMÁTICA
Saber + nombre/infinitivo   *Conocer* + nombre
(Ver resumen gramatical, apartados 17 y 18)

COMUNICACIÓN
Expresar coincidencia y diferencia de habilidades
● ¿Sabes conducir?   ● ¿Sabes esquiar?
○ Sí, ¿y tú?   ○ No, ¿y tú?
● Yo también/no.   ● Yo tampoco/sí.

GRAMÁTICA
También, tampoco, sí, no
(Ver resumen gramatical, apartado 13)

COMUNICACIÓN
Valorar
● ¿Nadas bien?
○ (Nado) Regular, ¿y tú?
● Yo, así, así.

GRAMÁTICA
Verbo + *bien/mal/regular/así, así*
(Ver resumen gramatical, apartado 19)

COMUNICACIÓN
Expresar opiniones
● Yo creo que trabajar demasiado es malo.
Expresar acuerdo
● Yo creo que estudiar inglés es bastante difícil, ¿y tú?
○ Sí, bastante difícil.
Expresar desacuerdo
● Yo creo que el portugués es muy fácil.
○ Pues yo creo que es difícil.
Presentar un contraargumento
● Hablar idiomas es necesario para viajar.
○ Sí, pero también es útil para encontrar un trabajo interesante.

GRAMÁTICA
Verbo *creer*
Ser + bueno/malo
(Ver resumen gramatical, apartados 7.1.1 y 11.1)

1 ¿Sabes hacer o conoces esto sobre España o Latinoamérica? Escribe tus respuestas en la columna
a correspondiente.

	Tú	Tu compañero
1. Cocinar algún plato español		
2. Un plato mexicano		
3. Un museo español famoso		
4. Una novela española o latinoamericana famosa		
5. Un actor (o actriz) español famoso en el mundo		
6. Dos deportistas españoles		
7. El nombre de un río latinoamericano muy largo		
8. Dos estilos de baile latinoamericanos		
9. Un estilo de música española		
10. ¿En cuántos países latinoamericanos se habla español?		

b Pregúntale a tu compañero y anota sus respuestas. ¿Coinciden con las tuyas?

- ¿Sabes cocinar algún plato español?
- Sí, sé hacer tortilla de patatas. ¿Y tú?
- Yo sé hacer paella.

c Escribid otras preguntas sobre España o Latinoamérica para otra pareja.

¿Conocéis alguna ciudad latinoamericana?

d Hacedle las preguntas a otra pareja.

- ¿Conocéis alguna ciudad latinoamericana?
- Yo no.
- Yo sí. Conozco Buenos Aires.

2 Una entrevista. Lee esta entrevista incompleta.

a

LAS 10 PREGUNTAS

1. **Una cosa que crees que haces bastante bien.**
   Pintar. Me gusta mucho y dicen que .... bastante bien.

2. **Una cosa que haces bastante mal.**
   Cantar. Sé que lo hago bastante mal y por eso .... solo en la ducha.

3. **Una cosa que no sabes hacer y te gustaría saber hacer.**
   Tocar la guitarra. Sé que es difícil, pero me gustaría ....

4. **Algo que te encanta hacer.**
   Pasar unos .... en el campo con mis amigos.

5. **Algo que no te gusta nada.**
   Ir de compras los fines de semana, porque hay demasiada gente en la calle y en las ....

6. **Una cosa buena de tu profesión.**
   Que aprendo ....

7. **Un lugar especial para ti.**
   Una playa muy pequeña que está cerca de mi pueblo. No es muy conocida y va muy poca .... allí.

8. **Un país que no conoces y te gustaría conocer.**
   Brasil, su naturaleza y .... gente.

9. **Algo que crees que es necesario hacer.**
   Viajar a otros países y descubrir otras ....

10. **Algo que crees que es muy importante para una persona.**
    .... vivir.

b Complétala con estas palabras.

saber	gente	tiendas	su	días
pinto	aprender	mucho	culturas	canto

c Escribe tus propias respuestas. ¿Son muy distintas de las de Eva?

1

a

Lee el diálogo de estos dos compañeros de clase y responde a las preguntas.

● ¿Qué hiciste ayer por la tarde? ¿Saliste?

○ No, me quedé en casa. Vino Rosa y vimos una película en la televisión. Y tú, ¿qué hiciste?

● Pues yo quedé con Gloria y fuimos a dar una vuelta. Estuvimos en el parque del Oeste, luego tomamos algo y volvimos a casa un poco tarde.

1. ¿De qué día hablan?
2. ¿Hicieron los dos lo mismo?

b

En el diálogo se usa un tiempo verbal del pasado, el pretérito indefinido. Léelo otra vez y relaciona estos verbos con las formas que aparecen en el diálogo.

TOMAR	VOLVER	SALIR	QUEDAR	HACER	VENIR	IR	ESTAR
tomamos							

2 Fíjate en la conjugación del pretérito indefinido.

PRETÉRITO INDEFINIDO

Verbos regulares

	Verbos terminados en		
	-ar	*-er*	*-ir*
	TOMAR	**VOLVER**	**SALIR**
yo	tomé	volví	salí
tú	tomaste	volviste	saliste
él/ella/usted	tomó	volvió	salió
nosotros/nosotras	tomamos	volvimos	salimos
vosotros/vosotras	tomasteis	volvisteis	salisteis
ellos/ellas/ustedes	tomaron	volvieron	salieron

Verbos irregulares

	HACER	VENIR	IR/SER	ESTAR
yo	hice	vine	fui	estuve
tú	hiciste	viniste	fuiste	estuviste
él/ella/usted	hizo	vino	fue	estuvo
nosotros/nosotras	hicimos	vinimos	fuimos	estuvimos
vosotros/vosotras	hicisteis	vinisteis	fuisteis	estuvisteis
ellos/ellas/ustedes	hicieron	vinieron	fueron	estuvieron

3 Y tú, ¿hiciste ayer alguna de las cosas que mencionan en la actividad 1? Díselo a tu compañero.

Yo también (me quedé en casa)…

4 En grupos de tres. Por turnos, cada alumno elige un verbo y lo conjuga, en la persona indicada, en pretérito indefinido. Si lo hace correctamente, escribe su nombre en esa casilla. Gana quien obtiene tres casillas seguidas.

TRABAJAR (yo)	COMER (ella)	LEVANTARSE (tú)	SALIR (nosotros)	HABLAR (ustedes)
VENIR (ellos)	JUGAR (nosotras)	IR (yo)	ESTAR (él)	SER (tú)
DUCHARSE (tú)	HACER (ustedes)	ESTUDIAR (usted)	ESCRIBIR (yo)	QUEDAR (vosotros)
VIVIR (usted)	ACOSTARSE (tú)	BEBER (nosotras)	TOMAR (ellos)	VER (ella)

5 ¿Hiciste ayer estas cosas? Señálalo en la columna correspondiente.

a

	Tú		
1. Levantarse pronto			
2. Volver a casa tarde			
3. Hacer los deberes			
4. Usar el ordenador			
5. Salir con alguien			
6. Estar con los amigos			
7. Ir al cine			
8. Hacer deporte			
9. Ver la televisión			

b **En grupos de tres. Averigua si las hicieron tus compañeros y señálalo en el cuadro.**

- ¿Te levantaste pronto ayer?
- (Sí, ¿y tú?).
- (Yo | también).
       | no).

c **Observad el cuadro y decidle a la clase quién de vosotros hizo más de esas cosas ayer.**

Fonética  La sílaba fuerte

6
a

🎧 2|38

Escucha estas formas verbales y escríbelas en la columna correspondiente.

▢ ▢	▢ ▢	▢ ▢ ▢
	tomé	

b Elige otras formas del pretérito indefinido difíciles de pronunciar para ti.

c Díselas al profesor para que te ayude a practicarlas si lo necesitas.

7
a

Piensa en otras tres cosas que hiciste ayer y a qué hora hiciste cada una de ellas. Luego, anótalo.

> A las seis de la tarde fui al gimnasio.

b Dile solo las horas a un compañero para que adivine lo que hiciste.

- Las seis de la tarde.
- A las seis de la tarde fuiste al cine.
- No.
- Volviste a casa.
- No, volví más tarde.
- ¡Ah! Fuiste al gimnasio.
- Sí, a las seis de la tarde fui al gimnasio.

8

🎧 2|39

Escucha la conversación en la que Mónica le dice a un amigo lo que hizo ayer y completa el cuadro.

Por la mañana:	Hizo un examen.
Por la tarde:	
Por la noche:	

9 **Observa lo que hizo la señora Paca ayer.**

a

b **Lee las frases y señala si son verdaderas o falsas.**

	V	F
1. La señora Paca estuvo en la piscina ayer.	☐	☐
2. Fue en bicicleta.	☐	☐
3. Paseó con el perro.	☐	☐
4. Vio un DVD en su casa.	☐	☐
5. Comió con su novio.	☐	☐
6. Utilizó el ordenador y envió unos correos electrónicos.	☐	☐
7. Salió con su nieta y estuvo en una cafetería con ella.	☐	☐
8. Se acostó muy pronto.	☐	☐

c **Sustituye las frases falsas por otras verdaderas.**

10 **Escribe cinco frases expresando otras cosas que crees que hizo la señora Paca. Intercámbialas con un compañero y corrige las suyas. ¿Coincide alguna información?**

Después de comer estuvo en un parque.

11 **Lee esta ficha escrita por una persona que conoció ayer a la señora Paca.**

a

○ Ayer conocí a la señora Paca.
○ Después de saludarla, le dije: "¿Quiere venir a un concierto de salsa?".
○ Y ella me contestó: "Sí, gracias; me encanta la salsa".
○ Entonces fuimos a un concierto y bailamos mucho.
○ Luego estuvimos con unos amigos y volvimos a casa un poco tarde.

b **Ahora completa tú la ficha con las informaciones que quieras.**

○ Ayer conocí a la señora Paca.
○ Después de saludarla, le dije: " .... ".
○ Y ella me contestó: " .... ".
○ Entonces .... y ....
○ Luego .... y ....

c **Léesela a tus compañeros y averigua si ellos han escrito algo divertido.**

12 **Piensa en lo que hiciste ayer y cuéntaselo a un compañero con el que no has trabajado en esta lección.**

a

Ayer me levanté a las…

b **¿Hay muchas cosas que hicisteis los dos? Decídselas a la clase y averiguad cuál es la pareja con más coincidencias.**

Pues ayer, (Claudia) y yo…

El nombre de Argentina

1
a Busca en el diccionario el significado de la palabra *plata* [metal]. ¿Qué relación puede tener esa palabra con el nombre de Argentina? Coméntalo con tus compañeros.

b Lee el texto y comprueba. Puedes usar el diccionario.

EL NOMBRE DE ARGENTINA

El nombre de Argentina viene de *argentum*, que en latín significa plata. Su origen está en los viajes de los primeros conquistadores españoles al Río de la Plata. Los náufragos de la expedición de Juan Díaz de Solís encontraron en la región a indígenas que les regalaron objetos de plata.

Luego, hacia el año 1524, llevaron a España la noticia de la existencia de la legendaria Sierra del Plata, una montaña rica en ese metal precioso.

A partir de esa fecha, los portugueses llamaron Río de la Plata al río de Solís. Dos años después, los españoles utilizaron también esa denominación.

Desde 1860, el nombre República Argentina es la denominación oficial del país.

Secretaría de Turismo de la Nación de la República Argentina

c **Lee de nuevo y subraya la opción correcta.**

1. El nombre de Argentina es de origen
   americano/europeo.

2. Los indígenas recibieron **bien/mal** a los
   españoles que fueron con Juan Díaz de
   Solís.

3. Los **españoles/portugueses** fueron los
   primeros que usaron el nombre de Río
   de la Plata.

4. El nombre oficial de República Argentina
   existe desde el siglo **XVI/XIX.**

d **¿Hay algo que te parece curioso o interesante? Coméntalo con tus compañeros.**

Recuerda

COMUNICACIÓN

Hablar del pasado: expresar lo que hicimos ayer

- ¿Qué hiciste ayer por la tarde? ¿Saliste?
- No, me quedé en casa y luego me acosté muy pronto.
- Pues yo estuve con Héctor y fuimos a cenar a un restaurante mexicano.

GRAMÁTICA

Pretérito indefinido
Verbos regulares

HABLAR	COMER	SALIR
hablé	comí	salí
hablaste	comiste	saliste
habló	comió	salió
hablamos	comimos	salimos
hablasteis	comisteis	salisteis
hablaron	comieron	salieron

(Ver resumen gramatical, apartado 7.2.1)

Verbos irregulares

HACER	VENIR	ESTAR	IR/SER
hice	vine	estuve	fui
hiciste	viniste	estuviste	fuiste
hizo	vino	estuvo	fue
hicimos	vinimos	estuvimos	fuimos
hicisteis	vinisteis	estuvisteis	fuisteis
hicieron	vinieron	estuvieron	fueron

(Ver resumen gramatical, apartado 7.2.2.2)

(Ver resumen gramatical, apartado 7.2.2.1)

1 ¡Qué coincidencia! Elena y Diego no se conocen, pero ayer fue sábado y los dos hicieron cuatro cosas iguales en el mismo momento. Habla con tu compañero y descubre esas coincidencias.

Alumno A

¡No mires la parte del Alumno B!

Ayer por la mañana, Elena jugó al tenis.

MAÑANA

TARDE

NOCHE

Cuando termines, comprueba con tu compañero.

Cuando termines, comprueba con tu compañero.

NOCHE

TARDE

MAÑANA

Pues Diego fue a la piscina y nadó por la mañana.

¡No mires la parte del Alumno A!

Alumno B

2 **Adivinanzas. En grupos de tres. Elige a una de estas personas y piensa qué hizo ayer y a qué hora.**
a **Luego, díselo a tus compañeros. ¿Saben quién es?**

b **Imagínate que eres una de esas personas y piensa qué hiciste ayer.**

c **En grupos de tres. Tus compañeros van a intentar adivinar quién eres. Para ello te van a hacer preguntas a las que tú solamente puedes responder "sí" o "no".**

- ¿Te levantaste tarde ayer?
- ○ No.
- ...

Repaso 3

Día a día

1
a Escribe estas actividades en el orden en que las realizas en un día normal.

- comer
- hacer los deberes
- acostarse
- volver a casa
- empezar las clases
- terminar las clases
- levantarse
- desayunar
- cenar

b Ahora escribe un texto sobre las cosas que haces un día normal y a qué hora.

Normalmente me levanto a las... Luego...

c Coméntalo con tus compañeros y busca uno con el que coincidas en cuatro cosas.

- Normalmente me levanto a las..., ¿y tú?
- Yo | también.
  | a las...

d Decídselo a la clase.

(Marco) y yo...

¿Con qué frecuencia?

2
a Forma una expresión a partir de cada palabra.

 campo

 tenis

compra

 gimnasia

 compras

copas

Ir al campo.

b ¿Haces esas cosas con frecuencia los fines de semana? Escríbelo.

A veces voy al campo los fines de semana.

c Compara tu texto con el de un compañero. ¿Creéis que podríais pasar los fines de semana juntos?

3 Lee y completa el texto con estas frases.

a

Juan Manuel Tardón (recepcionista). Trabaja en la recepción de un hotel y **(1)** .... : entra a las doce de la noche y sale a las ocho de la mañana. Tiene tres días libres por semana: **(2)** .... Normalmente duerme por la mañana. Por la tarde estudia Sociología en la universidad. Lo que más le gusta de su trabajo es que no ve mucho a su jefe; lo que menos, el horario. No está muy contento con su trabajo y cree que gana muy poco, pero sabe que es un trabajo temporal. Cuando termine la carrera, **(3)** ....

☐ viernes, sábado y domingo

☐ quiere dar clases en la universidad

☐ tiene un horario de noche

b Lee estas frases sobre lo que hace Juan Manuel un día normal y completa el cuadro con las horas. Usa también la información del texto anterior.

1. Tarda quince minutos en llegar al trabajo.
2. Se acuesta cuando llega a casa.
3. Duerme siete horas diarias.
4. Come un cuarto de hora después de levantarse.
5. Empieza las clases a las cinco de la tarde.
6. Tiene cinco horas de clase al día.
7. Generalmente cena hora y media antes de empezar a trabajar.

	Hora
Salir de casa	
Acostarse	
Levantarse	
Comer	
Empezar las clases	
Terminar las clases	
Cenar	

Los estudios de español

4 En parejas. Hazle a tu compañero las preguntas correspondientes y anota sus respuestas.

a

1. Lo que más le gusta de la clase de español. ....
2. Lo que menos le gusta de la clase de español. ....
3. ¿Hace los deberes siempre? ....
4. Número de horas que estudia individualmente al día. ....
5. ¿Cree que progresa adecuadamente? ....
6. ¿Cree que puede hacer algo para aprender más? ¿Qué? ....

¿Qué es lo que más te gusta de la clase de español?

b Utiliza esas notas para escribir un texto sobre los estudios de español de tu compañero.

Lo que más le gusta a (David) de la clase de español es…

c Intercámbialo con él para que lo corrija. Luego, comentad los posibles errores.

¿Qué hiciste ayer?

5
a ¿Qué verbos te parecen más difíciles en pretérito indefinido? Utilízalos para escribir frases verdaderas o falsas sobre lo que hiciste ayer.

b Intercámbialas con un compañero para descubrir las falsas.

Juego de vocabulario

6
a Haz una lista de seis palabras o expresiones difíciles que has aprendido en las lecciones 11-14.

b Enséñaselas a tu compañero y explícale lo que no entienda. Si coinciden algunas, pensad en otras nuevas hasta completar la lista de doce en total.

c Pasadle la lista a otra pareja para que escriba una frase con cada una de las palabras o expresiones que aparecen. Gana la pareja que escriba correctamente más frases.

Juego de repaso

7 En grupos de cuatro. Juega con un dado y una ficha de color diferente a la de tus compañeros.

1. Por turnos. Tira el dado y avanza el número de casillas que indique.

2. Habla del tema de la casilla en la que caigas.

3. ¡Atención a las casillas en las que puedes hacer una pregunta a un compañero o te la pueden hacer a ti!

SALIDA	**1** Tu pueblo o tu ciudad	**2** Tu actor favorito	**3** El centro donde estudias español	**4** Tu música preferida	**5** Tu habitación	**6** Tus compañeros te pueden hacer una pregunta
12 Pregunta lo que quieras a un compañero	**11** Un aspecto de la vida española que te gusta	**10** Tus padres	**9** Tu profesor de español	**8** Los deportes que te gustan	**7** Tu novio/-a	
	13 Tu casa ideal	**14** Algunas cosas que sabes hacer. ¿Las haces bien?	**15** Los sábados por la mañana	**16** Un famoso que no te gusta nada	**17** ¿Por qué estudias español?	**18** Tus compañeros te pueden hacer una pregunta
24 Pregunta lo que quieras a un compañero	**23** Tu actriz favorita	**22** Un programa de TV que no te gusta	**21** ¿Qué hiciste ayer por la mañana?	**20** Tu jefe o el director del centro donde estudias	**19** Tu cantante o grupo preferido	
	25 Tus hermanos/-as	**26** Los domingos por la tarde	**27** Tu medio de transporte preferido	**28** Este libro	**29** Una ciudad que te gusta mucho	**30** Tus compañeros te pueden hacer una pregunta
36 Pregunta lo que quieras a un compañero	**35** ¿Qué hiciste ayer por la noche?	**34** Tu trabajo o tus estudios	**33** ¿Qué hiciste ayer por la tarde?	**32** Un personaje famoso que te gustaría ser	**31** Un buen amigo	
	37 El hombre/la mujer de tus sueños	**38** Una ciudad española que quieres visitar	**39** Lo que haces un día normal	**40** Lo que más te gusta de este juego	**41** Los viernes por la noche	LLEGADA

Resumen gramatical

1 Las letras

Letra	Nombre de la letra	Se pronuncia	Ejemplo
A, a	a	/a/	La Habana
B, b	be	/b/	Barcelona
C, c	ce	/θ/, /k/	cine, Carmen
Ch, ch	che	/tʃ/	Chile
D, d	de	/d/	adiós
E, e	e	/e/	España
F, f	efe	/f/	teléfono
G, g	ge	/g/, /x/	Málaga, Ángel
H, h	hache	–	hotel
I, i	i	/i/	Italia
J, j	jota	/x/	Japón
K, k	ka	/k/	kilómetro
L, l	ele	/l/	Lima
Ll, ll	elle	/l/	lluvia
M, m	eme	/m/	Madrid
N, n	ene	/n/	no
Ñ, ñ	eñe	/ɲ/	España
O, o	o	/o/	Toledo
P, p	pe	/p/	Perú
Q, q	cu	/k/	Quito
R, r	erre	/r/, /r/	guitarra, aeropuerto
S, s	ese	/s/	sí
T, t	te	/t/	teatro
U, u	u	/u/	Uruguay
V, v	uve	/b/	Venezuela
W, w	uve doble	/w/, /b/	whisky, water
X, x	equis	/ks/, /s/	taxi, extranjero
Y, y	i griega	/y/, /i/	yo, Paraguay
Z, z	zeta	/θ/	plaza

Observaciones:

- La letra *h* no se pronuncia en español (*hola*, *hospital*).
- Las letras *b* y *v* se pronuncian igual: /b/ (*Buenos Aires*, *Valencia*).
- El sonido /r/ se escribe con:
  - *rr* entre vocales (*perro*).
  - *r* al principio de palabra (*Roma*) o detrás de *l*, *n* y *s* (*alrededor*, *Enrique*).

  En los demás casos, la *r* se pronuncia /r/; por ejemplo, *pero*.
- La letra *x* se pronuncia /s/ delante de consonante (*exterior*).

- Las letras *c*, *z* y *q*:

Se escribe	Se pronuncia
za	/θa/
ce	/θe/
ci	/θi/
zo	/θo/
zu	/θu/

Se escribe	Se pronuncia
ca	/ka/
que	/ke/
qui	/ki/
co	/ko/
cu	/ku/

- Las letras *g* y *j*:

Se escribe	Se pronuncia
ga	/ga/
gue	/ge/
gui	/gi/
go	/go/
gu	/gu/
güe	/gue/
güi	/gui/

Se escribe	Se pronuncia
ja	/xa/
je, ge	/xe/
ji, gi	/xi/
jo	/xo/
ju	/xu/

2 El sustantivo

2.1. Género del sustantivo

Masculino	Femenino	Masculino o femenino
-o	-a	-e
		-consonante

- el teléfono
- la tienda
- la clase
- el restaurante
- el hospital
- la canción

Observaciones:

- El sexo determina el género del sustantivo en los casos de personas y algunos animales.
  - el hijo → la hija
  - el gato → la gata
- Algunos de estos sustantivos tienen una forma diferente para cada sexo.
  - **el hombre → la mujer**
  - **el padre → la madre**
- Muchos sustantivos terminados en *-ante* o *-ista* son masculinos y femeninos.
  - el estudiante → la estudiante
  - el artista → la artista
- Muchos sustantivos terminados en *-ma* son masculinos.
  - **el problema**
  - **el programa**
- Algunos sustantivos terminados en *-o* son femeninos.
  - **la radio**
  - **la mano**

2.2. Número del sustantivo

Singular terminado en	Para formar el plural, se añade
-a, -e, -i, -o, -u	-s
-á, -é, -ó	
consonante	-es
-í, -ú	

- médico → médicos
- café → cafés
- hospital → hospitales

Observaciones:

- Los sustantivos terminados en -z hacen el plural cambiando la z por c y añadiendo -es.
    - actriz → actrices
- Algunos sustantivos terminados en -s no cambian en plural.
    - el lunes → los lunes
- Algunos sustantivos terminados en -í o en -ú forman el plural añadiendo -s.
    - el esquí → los esquís   • el menú → los menús

3 El adjetivo calificativo

3.1. Género del adjetivo calificativo

Masculino	Femenino	Masculino o femenino
-o	-a	-e
		-consonante

- sueco
- sueca
- verde
- azul

Observaciones:

- El adjetivo calificativo concuerda con el sustantivo en género y número.
    - Mi profesor es colombiano.   • Mi profesora es colombiana.
- Los adjetivos de nacionalidad terminados en consonante hacen el femenino añadiendo -a.
    - francés → francesa   • andaluz → andaluza
- Los adjetivos de nacionalidad que terminan en -a, -e o -í son invariables.
    - belga   • canadiense   • marroquí

3.2. Número del adjetivo calificativo

El plural de los adjetivos calificativos se forma de la misma manera que el de los sustantivos (ver cuadro 2.2).
- alto → altos   • delgada → delgadas   • verde → verdes
- gris → grises   • japonés → japoneses   • marroquí → marroquíes

4 Artículos

El artículo concuerda con el sustantivo en género y número.
- **el** camarero → **los** camareros   • **una** carta → **unas** cartas

En el caso de los sustantivos invariables, el artículo marca el género y el número.
- **un** cantante → **una** cantante   • **el** martes → **los** martes

4.1 Artículos determinados

	Masculino	Femenino
Singular	el	la
Plural	los	las

Se usa el artículo determinado cuando los hablantes conocen la identidad de la persona o cosa mencionada.
- Le presento a Mónica, **la** nueva secretaria.
- Vivo en **la** calle Embajadores, número diez.

Observaciones:

- A + el → al
  - ¿Vamos **al** cine esta noche?
- De + el → del
  - Mira, esa es la mujer **del** director.

4.2. Artículos indeterminados

	Masculino	Femenino
Singular	un	una
Plural	unos	unas

Se usa el artículo indeterminado cuando un hablante introduce o especifica una nueva persona o cosa.

- Yo trabajo en **un** restaurante.

5 Posesivos

Los posesivos concuerdan con el sustantivo en género y número.
- **Tus** hermanos no viven aquí, ¿verdad?
- Es una amiga **mía**.

5.1. Formas átonas

Masculino		Femenino	
Singular	Plural	Singular	Plural
mi	mis	mi	mis
tu	tus	tu	tus
su	sus	su	sus
nuestro	nuestros	nuestra	nuestras
vuestro	vuestros	vuestra	vuestras
su	sus	su	sus

Observaciones:

- Van delante del sustantivo.
  - ¿A qué se dedica **tu** padre?

5.2. Formas tónicas

Masculino		Femenino	
Singular	Plural	Singular	Plural
mío	míos	mía	mías
tuyo	tuyos	tuya	tuyas
suyo	suyos	suya	suyas
nuestro	nuestros	nuestra	nuestras
vuestro	vuestros	vuestra	vuestras
suyo	suyos	suya	suyas

Observaciones:

Pueden ir:
- Detrás del sustantivo.
    - Un amigo **mío**.
- Detrás del verbo.
    - Ese libro es **tuyo**, ¿no?
- Detrás del artículo y otros determinantes del sustantivo.
    - Mi novia es muy inteligente.
    - **La mía** también.

6 Demostrativos

6.1. Adjetivos demostrativos

Masculino		Femenino	
Singular	Plural	Singular	Plural
este	estos	esta	estas
ese	esos	esa	esas
aquel	aquellos	aquella	aquellas

Observaciones:

- Los adjetivos demostrativos van delante del sustantivo.
    - ¿Puedo ver **ese** bolígrafo?
- Concuerdan con el sustantivo en género y número.
    - ¿Cuánto cuesta est**e** diccionari**o**?

6.2. Pronombres demostrativos

Masculino		Femenino	
Singular	Plural	Singular	Plural
este	estos	esta	estas
ese	esos	esa	esas
aquel	aquellos	aquella	aquellas

Observaciones:

- Los pronombres demostrativos tienen el género y el número del sustantivo al que se refieren.
    - **Esta** es mi profesora de español.   - **Estos** son mis hermanos.
- Las formas *esto*, *eso* y *aquello* no indican género y solo funcionan como pronombres.
    - ¿Cómo se dice **esto** en español?
- Los pronombres demostrativos se acentúan obligatoriamente en aquellas frases que pueden tener doble sentido.
    - Trabajo con **ese** director.
    - Trabajo con **ése**, director.

7 Verbos

En español hay tres grupos de verbos. El infinitivo puede terminar en *-ar*, *-er* o *-ir*.

7.1. Presente de indicativo
7.1.1. Verbos regulares

	-ar	-er	-ir
	HABLAR	COMER	VIVIR
(yo)	hablo	como	vivo
(tú)	hablas	comes	vives
(él/ella/usted*)	habla	come	vive
(nosotros/nosotras)	hablamos	comemos	vivimos
(vosotros/vosotras)	habláis	coméis	vivís
(ellos/ellas/ustedes*)	hablan	comen	viven

* *Usted* y *ustedes* designan a segundas personas, pero se usan con las mismas formas verbales que *él/ella* y *ellos/ellas* (terceras personas).

7.1.2. Verbos irregulares
7.1.2.1. *Ser*, *estar* e *ir*

	SER	ESTAR	IR
(yo)	soy	estoy	voy
(tú)	eres	estás	vas
(él/ella/usted)	es	está	va
(nosotros/nosotras)	somos	estamos	vamos
(vosotros/vosotras)	sois	estáis	vais
(ellos/ellas/ustedes)	son	están	van

7.1.2.2. Irregularidades que afectan a las tres personas del singular y a la tercera persona del plural

e → ie	o → ue	e → i	verbos en *-uir* u → uy	verbo *jugar* u → ue
QUERER	PODER	PEDIR	INCLUIR	JUGAR
quiero	puedo	pido	incluyo	juego
quieres	puedes	pides	incluyes	juegas
quiere	puede	pide	incluye	juega
queremos	podemos	pedimos	incluimos	jugamos
queréis	podéis	pedís	incluís	jugáis
quieren	pueden	piden	incluyen	juegan

7.1.2.3. *c* → *zc* en la primera persona del singular (verbos en *-ecer*, *-ocer* y *-ucir*)
conocer → conozco
conducir → conduzco
traducir → traduzco

7.1.2.4. Verbos con la primera persona del singular irregular

hacer → hago	saber → sé
salir → salgo	ver → veo
poner → pongo	dar → doy
traer → traigo	

7.1.2.5. Verbos con doble irregularidad

TENER
tengo
tienes
tiene
tenemos
tenéis
tienen

VENIR
vengo
vienes
viene
venimos
venís
vienen

DECIR
digo
dices
dice
decimos
decís
dicen

OÍR
oigo
oyes
oye
oímos
oís
oyen

Usos:

- Para expresar lo que hacemos habitualmente.
    - Todos los días **me levanto** a las ocho.
- Para dar información sobre el presente.
    - **Está** casada y **tiene** dos hijos.
- Para ofrecer y pedir cosas.
    - ¿**Quieres** más ensalada?
    - ¿Me **das** una hoja, por favor?
- Para hacer sugerencias.
    - ¿Por qué no **vas** al médico?
- Para hacer invitaciones.
    - ¿**Quieres** venir a la playa con nosotros?
- Para hablar del futuro.
    - Mañana **actúa** Shakira en Barcelona.

7.2. Pretérito indefinido

7.2.1. Verbos regulares

	HABLAR	COMER	SALIR
(yo)	habl**é**	com**í**	sal**í**
(tú)	habl**aste**	com**iste**	sal**iste**
(él/ella/usted)	habl**ó**	com**ió**	sal**ió**
(nosotros/nosotras)	habl**amos**	com**imos**	sal**imos**
(vosotros/vosotras)	habl**asteis**	com**isteis**	sal**isteis**
(ellos/ellas/ustedes)	habl**aron**	com**ieron**	sal**ieron**

7.2.2. Algunos verbos irregulares

7.2.2.1. *Ser* e *ir*

SER/IR
fui
fuiste
fue
fuimos
fuisteis
fueron

Observaciones: .
Ser e *ir* tienen las mismas formas.

7.2.2.2. Verbos de uso frecuente con raíz y terminaciones irregulares

Infinitivo	Raíz	Terminaciones
Tener	tuv-	
Estar	estuv-	
Poder	pud-	-e
Poner	pus-	-iste
Saber	sup-	-o
Andar	anduv-	-imos
Hacer	hic-/hiz-	-isteis
Querer	quis-	-ieron
Venir	vin-	

Infinitivo	Raíz	Terminaciones
Decir	dij-	-e
		-iste
		-o
Traer	traj-	-imos
		-isteis
		-eron

Uso:

Para hablar de acciones o sucesos pasados situados en una unidad de tiempo terminada.
Lo utilizamos con referencias temporales tales como *ayer*, *el otro día*, *la semana pasada*, *el mes pasado*, *el año pasado*, etcétera.

- Ayer **comí** con Cristina.
- El año pasado **estuve** de vacaciones en Irlanda.

8 Pronombres personales

8.1. Sujeto

	1.ª PERSONA	2.ª PERSONA	3.ª PERSONA
Singular	yo	tú	él
		usted	ella
Plural	nosotros nosotras	vosotros vosotras	ellos
		ustedes	ellas

8.2. Objeto indirecto

	1.ª PERSONA	2.ª PERSONA	3ª PERSONA
Singular	me	te	le
		le	
Plural	nos	os	les
		les	

8.3. Reflexivos

	1.ª PERSONA	2.ª PERSONA	3.ª PERSONA
Singular	me	te	se
		se	
Plural	nos	os	se
		se	

8.4. Preposición + pronombre personal

	1.ª PERSONA	2.ª PERSONA	3.ª PERSONA
Singular	mí	ti	él
		usted	ella
Plural	nosotros nosotras	vosotros vosotras	ellos ellas
		ustedes	

Observaciones:

- Normalmente no usamos el pronombre personal sujeto porque las terminaciones del verbo indican qué persona realiza la acción.
  - ¿Cómo te llamas? (**tú**)
- Lo utilizamos para dar énfasis al sujeto o para marcar una oposición.
  - **Yo** trabajo en un banco.
  - Pues **yo** soy estudiante.
- *Yo* y *tú* no pueden combinarse con preposiciones; en ese caso se sustituyen por las formas correspondientes: *mí* y *ti*.
  - ¿Esto es para **mí**?
  - Sí, sí. Para **ti**.

  Cuando van precedidos de la preposición *con*, usamos unas formas diferentes: *conmigo* y *contigo*.
  - ¿Quieres venir al cine **conmigo**?
- Los pronombres personales de objeto indirecto y reflexivos van delante del verbo conjugado.
  - ¿**Te** gusta?
  - ¿**Os** acostáis muy tarde?

  Pero cuando los combinamos con el imperativo afirmativo, van siempre detrás, formando una sola palabra con el verbo.
  - ¿**Me** puedo sentar?
  - Sí, sí. Siénte**se**.

  Con infinitivo y gerundio pueden ir detrás de estas formas verbales, formando una sola palabra, o delante del verbo conjugado.
  - Voy a duchar**me** = **me** voy a duchar.
  - Está duchándo**se** = **se** está duchando.

9 Interrogativos

9.1. ¿Quién?, ¿quiénes?

¿Quién/quiénes + verbo?
- Para preguntar por la identidad de personas en general.
  - ¿**Quién** es?
  - Laura, mi profesora de español.
  - ¿**Quiénes** son esos niños?
  - Mis primos de Valencia.

9.2. ¿Qué?

9.2.1. *¿Qué + verbo?*

9.2.1.1. Para preguntar por la identidad de cosas en general
- ¿**Qué** es eso?

9.2.1.2. Para preguntar por acciones
- ¿**Qué** vas a hacer esta noche?
- ■ Voy a ir al teatro con Ernesto.

9.2.2. *¿Qué + sustantivo + verbo?*

Para preguntar por la identidad de personas o cosas de una misma clase.
- ¿**Qué** lenguas hablas?
- ■ Inglés e italiano.
- ¿**Qué** actores españoles te gustan?
- ■ Javier Bardem y Antonio Banderas.

9.3. ¿Cuál?, ¿cuáles?

¿Cuál/cuáles + verbo?

Para preguntar por la identidad de personas o cosas de una misma clase.
- ¿**Cuál** es la moneda de tu país?
- ■ El euro.
- ¿**Cuál** te gusta más? (de esos dos cantantes).
- ■ Fernando Usuriaga.

9.4. ¿Dónde?

¿Dónde + verbo?

Para preguntar por la localización en el espacio.
- ¿**Dónde** vives?
- ■ En Málaga.

9.5. ¿Cuándo?

¿Cuándo + verbo?

Para preguntar por la localización en el tiempo.
- ¿**Cuándo** te vas de vacaciones?
- ■ El sábado.

9.6. ¿Cuánto?, ¿cuánta?, ¿cuántos?, ¿cuántas?

Para preguntar por la cantidad.

9.6.1. *¿Cuánto + verbo?*
- ¿**Cuánto** cuesta esta agenda?
- ■ Diez euros.

9.6.2. *¿Cuánto/cuánta/cuántos/cuántas* (+ sustantivo) + verbo?
- ¿**Cuántas** hermanas tienes?
- ■ Dos.

9.7. ¿Cómo?

¿Cómo + verbo?

9.7.1. Para preguntar por las características de personas o cosas
- ¿**Cómo** es tu profesor?
- ■ Alto, rubio, bastante gordo... y muy simpático.

9.7.2. Para preguntar por el modo
- ¿**Cómo** vienes a clase?
- ■ En bicicleta.

9.8. ¿Por qué?

¿Por qué + verbo?

Para preguntar por la causa o la finalidad.
- ¿**Por qué** estudias español?

Observaciones:

- Los interrogativos pueden ir precedidos de determinadas preposiciones.
    - **¿De** dónde es?
    - **¿A** qué te dedicas?
    - **¿Con** quién vives?
- *¿Por qué?-porque*
    - **¿Por qué** estudias ruso? (PREGUNTA)
    - **Porque** quiero ir de vacaciones a Moscú. (RESPUESTA)

10 *Hay-está(n)*

10.1. Hay

Es una forma impersonal del presente de indicativo del verbo *haber*.

Utilizamos *hay* cuando expresamos la existencia de cosas o personas.

- *Hay + un(os)/una(s)/dos/tres... + sustantivo*
- *Hay + uno/una/dos/tres...*
- *Hay + sustantivo*
    - Entre la farmacia y el bar **hay una** tienda.
    - ¿Dónde **hay un** cine?
    - Hay **uno** en la plaza.
    - En Madrid no **hay** playa.

10.2. Está, están

Usamos *está* o *están* cuando localizamos a personas o cosas que sabemos o suponemos que existen.

- ¿Y David?
    - **Está** en la biblioteca.
- Perdona, ¿el Teatro Griego **está** por aquí?
    - Sí, **está** al final de esta misma calle, a la derecha.

Observa estas frases:

- ¿Dónde **está el Banco Mediterráneo**?
- ¿Sabe si **hay un banco** por aquí?

- En esta ciudad **hay un museo** muy interesante.
- **El Museo Arqueológico está** en la Plaza Mayor.

11 *Ser-estar*

11.1. Ser

- Identidad.
    - **Eres la hermana de Gloria**, ¿verdad?
- Origen, nacionalidad.
    - Guillermo del Toro **es mexicano**.
- Profesión.
    - **Soy ingeniero**.
- Descripción de personas, objetos y lugares.
    - **Es alta, morena** y lleva gafas.
    - Tu coche **es negro**, ¿no?
    - **Es una ciudad pequeña y muy tranquila**.
- Descripción o valoración del carácter de una persona.
    - Mi hermano pequeño **es muy gracioso**.
- La hora.
    - ¡Ya **son las dos**!

- Valoración de objetos, actividades y períodos de tiempo.
    - Este diccionario **es muy bueno.**
    - Trabajar demasiado **es malo.**

11.2. Estar

- Localización en el espacio.
    - El quiosco **está enfrente del bar.**
- Circunstancias o estados de objetos y lugares.
    - ¿Funciona esta radio?
        - No, **está rota.**
    - ¿Ya **está abierta** la farmacia?

12 *Gustar*

Para expresar gustos personales.

- **A ti te gusta** mucho esquiar, ¿verdad?
- **Me gusta** mucho tu chaqueta.
- **A mí no me gustan** las motos.

(A mí)	Me	gusta	(mucho)	bailar.
(A ti)	Te		(bastante)	el teatro.
(A él/ella/usted)	Le			
(A nosotros/nosotras)	Nos	gustan	(mucho)	los niños.
(A vosotros/vosotras)	Os		(bastante)	
(A ellos/ellas/ustedes)	Les			

Observaciones:

El verbo *encantar* sirve también para expresar gustos personales y funciona como el verbo *gustar*, pero no puede utilizarse con adverbios.

- **Me encanta** ~~mucho~~ la música clásica.
- **Me encantan** estos zapatos.

13 *También, tampoco, sí, no*

- *También*, *tampoco*: para expresar coincidencia o acuerdo con lo que ha dicho otra persona.
  También responde a frases afirmativas; *tampoco*, a frases negativas.

    - Yo sé conducir.
        - Yo **también.**
    - Me gusta mucho este disco.
        - A mí **también.**

    - No sé tocar la guitarra.
        - Yo **tampoco.**
    - No me gustan las discotecas.
        - A mí **tampoco.**

- *Sí*, *no*: para expresar no coincidencia o desacuerdo con lo que ha dicho otra persona.
  Sí responde a frases negativas; *no*, a frases afirmativas.

    - No tengo coche.
        - Yo **sí.**
    - No me gustan las discotecas.
        - A mí **sí.**

    - Yo vivo con mis padres.
        - Yo **no.**
    - Me gusta mucho este disco.
        - A mí **no.**

Observaciones:

En las respuestas de este tipo de diálogos usamos siempre pronombres personales (*yo*, *tú*, *él*, etc.); a veces van precedidos de preposición (*a mí*, *a ti*, *a él*, etc.).

- Estudio Sociología.
    - **Yo** también.

- No me gusta nada este libro.
    - **A mí** tampoco.

14 Expresión de la frecuencia

14.1. Para expresar frecuencia podemos utilizar:

+	siempre
	casi siempre
	normalmente/generalmente
	a menudo
	a veces
	casi nunca (no... casi nunca)
-	nunca (no... nunca)

- **Siempre** hago los deberes por la tarde.
- **Nunca** veo la televisión por la mañana.
- **No** veo **nunca** la televisión por la mañana.

14.2. También podemos usar estas expresiones de frecuencia:

todos los	días/lunes/martes... meses años
todas las	semanas

=

cada	día/lunes/martes... mes año semana

una vez dos veces tres veces...	al	día mes año
	por	
	a la por	semana

(una vez)	cada	dos tres...	días semanas meses años

- Tú vas al cine **a menudo**, ¿verdad?
- Sí, **dos o tres veces a la semana**.

- Voy al gimnasio **cada tres días**.

15 *Muy-mucho*

15.1. Muy-mucho

muy +	adjetivo
	adverbio

verbo + *mucho*

- Mi habitación es **muy pequeña**.
- ¿Qué tal estás?
- **Muy bien**. ¿Y tú?

- Yo trabajo **mucho**.

15.2. Mucho, mucha, muchos, muchas

Mucho/-a/-os/-as + sustantivo
- En esta calle hay **muchos bares**.
- En este bar hay **mucha gente**.

Observaciones:
- *Muy* no modifica nunca a sustantivos.
   - Tengo ~~muy~~ amigos aquí. (Tengo **muchos amigos** aquí.)

Tampoco funciona como adverbio independiente.
   - Yo como ~~muy~~. (Yo como **mucho**.)
- *Mucho* no modifica nunca a adjetivos ni a adverbios.
   - Es ~~mucho~~ alto. (Es **muy alto**.)

   Habla ~~mucho~~ bien. (Habla **muy bien**.)

16 Cuantificadores: *muy, mucho, bastante, poco*

| *muy* *bastante* *poco* | + adjetivo |
| | + adverbio |

- Mi hermana es **muy simpática**.
- Este pueblo es **bastante pequeño**.
- Este barrio es **poco moderno**.
- Tú hablas inglés **bastante bien**, ¿no?

| *mucho/-a/-os/-as* *bastante(s)* *poco/-a/-os/-as* | + sustantivo |
| | |

- En mi barrio hay **muchos bares y bastantes restaurantes**.
- En este barrio hay **pocas zonas** verdes.

| verbo + | *mucho* *bastante* *poco* |
| | |

- Yo **estudio bastante**.
- Yo **trabajo mucho** y **gano poco**.

17 *Saber*

Para expresar habilidad para hacer algo podemos utilizar *saber* + infinitivo.

(yo)	sé	
(tú)	sabes	
(él/ella/usted)	sabe	nadar
(nosotros/nosotras)	sabemos	
(vosotros/vosotras)	sabéis	
(ellos/ellas/ustedes)	saben	

- ¿**Sabes tocar** el piano?
- No, pero **sé tocar** la guitarra.

También podemos utilizar *saber* + nombre.
- Yo **sé ruso**.

18 *Conocer-saber*

Para expresar conocimiento (o desconocimiento) podemos utilizar los verbos *conocer* o *saber*.

Para referirnos a informaciones, datos o conocimientos podemos usar *saber*.

- **¿Sabes que mañana empiezan mis vacaciones?**
- **No sé cuántos habitantes tiene mi pueblo.**
- Andrea **sabe chino.**

Para referirnos a personas, lugares o cosas podemos usar *conocer*.

- **Conozco a tu compañera de trabajo,** pero **no conozco a tu jefe.**
- **¿Conoces Sevilla?**
- ■ Sí, y me encanta.
- **Conozco un diccionario de español** muy bueno.

Observaciones:

Para referirnos a personas utilizamos la preposición *a*.

- **Conozco a Felipe**, tu amigo uruguayo.

19 *Bien; mal; regular; así, así*

Para valorar una acción podemos utilizar esta estructura:

verbo + *bien/mal/regular / así, así*

- **¿Cantas bien?**
- ■ No, **canto bastante mal.** ¿Y tú?
- **Regular.**

Observaciones:

Con *bien* y *mal* es muy frecuente el uso de los cuantificadores *muy* y *bastante*.

- Yo nado **bastante bien**, ¿y tú?
- ■ Yo nado **muy mal.**

20 Causa: *porque, por*

Para introducir la causa podemos utilizar *porque* + verbo.

- Estoy delgado **porque hago mucho deporte.**

También podemos utilizar *por* + sustantivo.

- Mi pueblo es famoso **por sus playas.**

Observaciones:

Las oraciones causales responden a la pregunta *¿por qué?*

- **¿Por qué** estudias español?
- ■ **Porque** mi novia es chilena.

Recuerda:

En la pregunta: *¿por qué?*
En la respuesta: *porque.*

Vocabulario

Lección preparatoria 1: Saludos y presentaciones

	Alemán	Francés	Inglés	Portugués
actriz	Schauspielerin	actrice	actress	atriz
adiós	auf Wiedersehen	au revoir	goodbye	adeus
aeropuerto	Flughafen	aéroport	airport	aeroporto
año	Jahr	année	year	ano
apellidarse	sich nennen	s'appeler	my/your/his surname is	ter por sobrenome
apellido	Nachname	nom	surname	sobrenome
así	so	comme ça	like this	assim
bar	Bar	bar	pub	bar
bien	gut	bien	OK	bem
chocolate	Schokolade	chocolat	chocolate	chocolate
cine	Kino	cinéma	cinema	cinema
colombiano	Kolumbianer	colombien	Colombian	colombiano
¿Cómo te llamas?	Wie heißt du?	Comment t'appelles-tu ?	What's your name?	Como você se chama?
compañero	Kamerad	camarade	classmate	colega
con	mit	avec	with	com
de	von, Filmregisseur	de	of	de
del	von	du	of the	do
día, buenos ~s	Tag, guten ~	jour, bon~	day, good morning	dia, bom~
director, ~ de cine	Regisseur, Film~	réalisateur, ~ de cinéma	director, film ~	diretor, ~ de cinema
el	der	le	the	o
entiendes (entender)	verstehst du (verstehen)	tu comprends (comprendre)	you understand (to understand)	entende (entender)
escribir	schreiben	écrire	to write	escrever
escritor	Schriftsteller	écrivain	writer	escritor

	Alemán	Francés	Inglés	Portugués
escuchar	zuhören	écouter	to listen	escutar
España	Spanien	Espagne	Spain	Espanha
estar	sich befinden, sein	être	to be	estar
favor, por ~	bitte	s'il-te-plaît / s'il-vous-plait	please	favor: por ~
hablar	sprechen	parler	to talk	falar
hola	Hallo	salut	hello	oi
hombre	Mann	homme	man	homem
hotel	Hotel	hôtel	hotel	hotel
la	die	la	the	a
leer	lesen	lire	to read	ler
los	diese	les	the	os
llamarse	sich nennen	s'appeler	my/your/his name is	chamar-se
mañana, hasta ~	Morgen, bis ~	demain, à ~	tomorrow, see you ~	manhã, até ~
marcar	markieren	cocher	to tick	marcar
mirar	schauen	regarder	to look	olhar
mujer	Frau	femme	woman	mulher
no	nein	non	no	não
noche, buenas ~s, esta ~	Nacht, gute ~, heute ~	nuit, bonsoir, ce soir	night, good evening, tonight	noite, boa~, esta ~
nombre	Name	prénom	name	nome
novela	Roman	roman	novel	romance
popular	volkstümlich	populaire	popular	popular
preguntar	fragen	demander	to ask	perguntar
presentación	Vorstellung	présentation	introduction	apresentação
puedes (poder)	kannst du, (können)	tu peux (pouvoir)	you can (to be able to)	pode (poder)
repetir	wiederholen	répéter	repeat	repetir
restaurante	Restaurant	restaurant	restaurant	restaurante
salsa	Salsa	salsa	salsa	salsa
saludo	Gruß	salut	greeting	cumprimento
sí	ja	oui	yes	sim
tango	Tango	tango	tango	tango
tarde, buenas ~s	Abend, guten ~	soir, bon~	afternoon, good afternoon	tarde, boa ~
televisión	Fernsehen	télévision	television	televisão
tomate	Tomate	tomate	tomato	tomate
tú	du	tu	you	você
y	und	et	and	e
yo	ich	je	I	eu

Lección preparatoria 2: Origen y procedencia

	Alemán	Francés	Inglés	Portugués
a	nach	en	to	a
agua	Wasser	eau	water	água
alemán	Deutsch/Deutscher	allemand	German	alemão

Alemania	Deutschland	Allemagne	Germany	Alemanha
alto, más ~	laut, mehr ~	haut, plus ~	loud, louder	alto, mais ~
amigo	Freund	ami	friend	amigo
aprender	lernen	apprendre	to learn	aprender
Argentina	Argentinien	Argentine	Argentina	Argentina
argentino	Argentinier	argentin	Argentinian	argentino
Australia	Australien	Australie	Australia	Austrália
australiano	Australier	australien	Australian	australiano
bebida	Getränk	boisson	drink	bebida
bocadillo	Butterbrot	sandwich	sandwich	sanduíche
Brasil	Brasilien	Brésil	Brazil	Brasil
brasileño	Brasilianer	brésilien	Brazilian	brasileiro
café, ~ con leche	Kaffee, ~ mit Milch	café, ~ au lait	coffee, white ~	café, ~ com leite
Canadá	Kanada	Canada	Canada	Canadá
canadiense	Kanadier	canadien	Canadian	canadense
cerveza	Bier	bière	beer	cerveja
Colombia	Kolumbien	Colombie	Colombia	Colômbia
comida	Essen	nourriture	food	comida
comunicarse	sich verständigen	communiquer	to communicate	comunicar-se
Corea del Sur	Südkorea	Corée du Sud	South Korea	Coreia do sul
coreano	Koreaner	coréen	Korean	coreano
cuando	wann	quand	when	quando
cuánto	wie viel	combien	how much	quanto
de	aus	de	from	de
decir	sagen	dire	to say	dizer
despacio	langsam	doucement	slowly	devagar
dónde	wo	où	where	onde
egipcio	Ägypter	égyptien	Egyptian	egípcio
Egipto	Ägypten	Egypte	Egypt	Egito
él	er	il	he	ele
ella	sie	elle	she	ela
español	Spanisch, Spanier	espagnol	Spanish	espanhol
Estados Unidos	Vereinigte Staaten	Etats-Unis	The United States	Estados unidos
estadounidense	US-Bürger	nord-américain	American	norte-americano
esto	dies	ça, ceci, cela	this	isto
fiesta	Feier	fête	party	festa
francés	Französisch, Franzose	français	French	francês
Francia	Frankreich	France	France	França
frase	Satz	phrase	sentence	frase
gracias	danke	merci	thank you	obrigado(a)
habitación	Zimmer	chambre, pièce	room	quarto
Holanda	Holland	Hollande	Holland	Holanda
holandés	Holländisch, Holländer	hollandais	Dutch	holandês
Inglaterra	England	Angleterre	England	Inglaterra
inglés	Englisch, Engländer	anglais	English	inglês

ir	gehen	aller	to go	ir
Italia	Italien	Italie	Italy	Itália
italiano	Italienisch, Italiener	italien	Italian	italiano
Jamaica	Jamaica	Jamaïque	Jamaica	Jamaica
Japón	Japan	Japon	Japan	Japão
japonés	Japanisch, Japaner	japonais	Japanese	japonês
lengua	Sprache	langue	language	língua
marroquí	Marokkanisch, Marokkaner	marocain	Moroccan	marroquino
Marruecos	Marokko	Maroc	Morocco	Marrocos
más	mehr	plus	higher	mais
menos	weniger	moins	lower	menos
mexicano	Mexikanisch, Mexikaner	mexicain	Mexican	mexicano
México	Mexiko	Mexique	Mexico	México
Mónaco	Monaco	Monaco	Monaco	Mônaco
música	Musik	musique	music	música
nativo	einheimisch	habitant	native	nativo
Nicaragua	Nicaragua	Nicaragua	Nicaragua	Nicarágua
Nueva Zelanda	Neuseeland	Nouvelle-Zélande	New Zealand	Nova Zelândia
número	Nummer	nombre	number	número
origen	Herkunft	origine	origin	origem
país	Land	pays	country	país
palabra	Wort	mot	word	palavra
para	für	pour	to (+verb)	para
perdón	Verzeihung	pardon	excuse me	desculpa
Portugal	Portugal	Portugal	Portugal	Portugal
portugués	Portugiesisch, Portugiese	portugais	Portuguese	português
procedencia	Herkunft	provenance	origin	procedência
qué	welche	quelles	what	que
relacionar	in Verbindung bringen	relier	to relate	relacionar
Rusia	Russland	Russie	Russia	Rússia
ruso	Russisch, Russe	russe	Russian	russo
San Marino	San Marino	Saint Marin	San Marino	San Marino
sé (saber)	ich weiß (wissen)	je sais (savoir)	I know (to know)	eu sei (saber)
ser	sein	être	to be	ser
servicios	Toiletten	toilettes, WC	toilets	banheiro
siesta	Ruhepause	sieste	afternoon nap	cochilo
Suecia	Schweden	Suède	Sweden	Suécia
sueco	Schwedisch, Schwede	suédois	Swedish	sueco
Suiza	Schweiz	Suisse	Switzerland	Suíça
suizo	Schweizerisch, Schweiserdeutsch	suisse	Swiss	suíço
tiempo, ~ libre	Zeit, freie ~	temps, ~ libre	time, free ~	tempo, ~ livre
Uruguay	Uruguay	Uruguay	Uruguay	Uruguai
útil	nützlich	utile	useful	útil

vino	Wein	vin	wine	vinho
ya	schon	ok, c'est bon, ça y est	OK, I see	Ah, já entendi

Lección 3: Información personal

	Alemán	Francés	Inglés	Portugués
abogado	Rechtsanwalt	avocat	lawyer	advogado
alumno	Schüler	élève	student	aluno
ambulancia	Rettungswagen	ambulance	ambulance	ambulância
avenida	Allee	avenue	avenue	avenida
ayuda	Hilfe	aide	help	ajuda
banco	Bank	banque	bank	banco
bombero	Feuerwehrmann	pompier	fire fighter	bombeiro
calle	Straße	rue	street	rua
camarero	Kellner	serveur	waiter	garçom
carretera	Landstraße	route	road	estrada
catalán	Katalanisch	catalan	Catalonian	catalão
ciudad	Stadt	ville	city, town	cidade
código postal	Postleitzahl	code postal	postcode	código postal
colegio	Schule	école	school	escola
correo electrónico	e-mail	courrier électronique	e-mail	email
Cruz Roja	Rotes Kreuz	Croix Rouge	The Red Cross	Cruz Vermelha
cuál	was	quel	which	qual
dependiente	Angestellte	vendeur	shop assistant	balconista
dirección	Anschrift	adresse	address	endereço
empresa	Unternehmen	entreprise	company	empresa
escuela	Schule	école	school	escola
estación, ~ de autobuses	Haltestelle, Bus~	gare, ~ routière	station, bus ~	estação, ~ de ônibus
estudiante	Student	étudiant	student	estudante
estudiar	studieren	étudier, faire des études de	to study	estudar
fax	Fax	fax	fax	fax
Física	Physik	physique	physics	Física
hacer	machen	faire	to do	fazer
hospital	Krankenhaus	hôpital	hospital	hospital
información, ~ personal	Information, personal ~	information, ~ personnelle	information, personal details	informação, ~ pessoal
instituto	Agentur, Behörde	institut	institute	instituto
lugar, ~ de trabajo	Platz, Arbeits~	lieu, ~ de travail	place, ~ of work	local, ~ de trabalho
Medicina	Medizin	médecine	medicine	Medicina
médico	Arzt	médecin	doctor	médico
móvil	Handy	portable	mobile	celular
nacionalidad	Nationalität	nationalité	nationality	nacionalidade
o	oder	ou	or	ou

oficina	Büro	bureau	office	escritório
paseo	Promenade	promenade	avenue	alameda
periódico	Zeitung	journal	newspaper	jornal
periodista	Reporter	journaliste	journalist	jornalista
pero	aber	mais	but	mas
piso	Etage	étage	floor	andar
plaza	Platz	place	square	praça
poesía	Poesie	poésie	poetry	poesia
policía	Polizei	police	police	polícia
profesión	Beruf	profession	profession	profissão
profesor	Lehrer	professeur	teacher	professor
secretaria	Sekretärin	secrétaire	secretary	secretária
taxi	Taxi	taxi	taxi	táxi
teléfono, ~ móvil	Telefon, Handy	téléphone, ~ portable	telephone, mobile ~	telefone, ~ celular
tener	haben	avoir	to have	ter
tienda	Geschäft	magasin	shop	loja
trabajar	arbeiten	travailler	to work	trabalhar
un	ein	un	a	um
una	eine	une	a	uma
universidad	Universität	université	university	universidade
vivir	leben	habiter	to live	morar

Lección 4: ¿Tú o usted?

	Alemán	Francés	Inglés	Portugués
al	-	au	to (the)	ao
alrededor	rundum	autour	around	ao redor
americano	Amerikanisch, Amerikaner	américain	American	americano
aquí	hier	ici	here	aqui
cariño	Liebling	mon/ma chéri(e)	sweetheart	querido(a)
casa	Haus	maison	house	casa
caso	Sache	cas, affaire	case	caso
claro	selbstverständlich	bien sûr	of course	claro
cliente	Kunde	client	client	cliente
compañero de trabajo	Arbeitskollege	collègue	work colleague	colega de trabalho
confianza	Vertrauen	confiance	to know someone well	intimidade
correr	laufen	courir	to run	correr
Desear (¿Qué desea?)	wünschen (Was wollen Sie?)	désirer (Qu´est-ce que vous desirez ?)	to want (May I help you?)	desejar (Em que posso ajudar?)
despacho	Geschäftszimmer	bureau	office	escritório
diálogo	Dialog	dialogue	conversation	diálogo
ejemplo: por ~	Beispiel: zum ~	exemple : par ~	example: for ~	exemplo: por ~
encantado	angenehm	enchanté	pleased to meet you	prazer

esta	diese	cette	this	esta
este	dieser	celui-là	this	este
etc.	etc.	etc.	etc.	etc.
familiar	familiär	familier	informal	familiar
formal	formal	formel, poli(e)	formal	formal
gimnasio	Fitnessstudio	club de fitness	gym	academia
hispanoamericano	spanisch-amerikanisch	hispano-américain	Latin American	hispano-americano
informal	zwanglos	familier	informal	informal
latinoamericano	lateinamerikanisch	latino-américain	Latin American	latino-americano
mío	mein	à moi	mine	meu
momento	Moment	moment	moment	momento
mucho gusto	angenehm	enchanté	pleased to meet you	muito prazer
muy	sehr	très	very	muito
nuevo	neu	nouveau	new	novo
pantalones	Hosen	pantalons	trousers	calças
parada de autobús	Bushaltestelle	arrêt de bus	bus stop	ponto de ônibus
perro	Hund	chien	dog	cachorro
poco, un ~ más	wenig, ein ~ mehr	peu, un ~ plus	little bit, a ~ more	pouco, um ~ mais
porque	weil	parce que	because	porque
presentar	vorstellen	présenter	to introduce	apresentar
¿Qué tal?	wie geht´s?	ça va ?	how are you?	tudo bem?
relación	Beziehung	relation	relationship	relação
rico	reich	riche	rich	rico
señor	Herr	Monsieur	Mr	senhor
señora	Frau	Madame	Mrs	senhora
señorita	Fräulein	Mademoiselle	Miss	senhorita
similar	ähnlich	semblable	similar	similar
tienda	Laden	magasin	shop	loja
tipo	Typ	type	type	tipo
tomar	trinken	boire	to drink	tomar
usar	benutzen	utiliser	to use	usar
uso	Nutzung	utilisation	use	uso
usted	Sie	vous	you	senhor(a)
varios	verschiedene	plusieurs	several	vários
¡Venga!	Komm!	Allez !	Come on!	Vamos!
vocal	Selbstlaut	voyelle	vowel	vogal
vos	Sie	vous, tu	you	você

Lección 5: Mi familia

	Alemán	Francés	Inglés	Portugués
abuela	Oma	grand-mère	grandmother	avó
abuelo	Opa	grand-père	grandfather	avô
actor	Schauspieler	acteur	actor	ator

alegre	freudig	joyeux	happy	alegre
alto	hoch	grand	tall	alto
antipático	unfreundlich	antipathique	unpleasant	antipático
azafata	Stewardess	hôtesse	air stewardess	comissária
azul	blau	bleu	blue	azul
bajo	unten	bas	short	baixo
barba	Bart	barbe	beard	barba
bastante	ziemlich	assez	quite	bastante
bigote	Schnurrbart	moustache	moustache	bigode
blanco	Weiß	blanc	white	branco
calvo	kahl	chauve	bald	careca
cantante	Sänger	chanteur	singer	cantor
carácter	Charakter	caractère	personality	personalidade
casado	verheiratet	marié	married	casado
castaño	braun	brun	brown	castanho
contigo	mit dir	avec toi	with you	contigo
dedicarse a	sich widmen	être	to be a	trabalhar em
delgado	schlank	mince	thin	magro
deportista	Sportler	sportif	sportsman	esportista
edad	Alter	âge	age	idade
encuesta	Umfrage	enquête	survey	enquete
encuestador	Meinungsforscher	enquêteur	survey taker	entrevistador
enfermero	Krankenpfleger	infirmier	nurse	enfermeiro
esposa	Ehefrau	épouse	wife	esposa
esposo	Ehemann	époux	husband	esposo
estado civil	Familienstand	état civil	marital status	estado civil
familia	Familie	famille	family	família
familiar	Verwandter	parent	relative	parente
famoso	berühmt	célèbre	famous	famoso
feo	hässlich	moche	ugly	feio
foto	Foto	photo	photo	foto
gordo	dick	gros	fat	gordo
gracioso	lustig	amusant, rigolo	funny	engraçado
grande	groß	grand	large	grande
guapo	hübsch	beau	handsome	bonito
hermana	Schwester	sœur	sister	irmã
hermano	Bruder	frère	brother	irmão
hija	Tochter	fille	daughter	filha
hijo	Sohn	fils	son	filho
ingeniero	Ingenieur	ingénieur	engineer	engenheiro
inteligente	intelligent	intelligent	intelligent	inteligente
joven	jung	jeune	young	jovem
jubilado	im Ruhestand	retraité	retired	aposentado
largo	lang	long	long	comprido
liso	glatt	lisse	straight	liso

llevar	tragen	porter	to wear (glasses), to have (a beard)	usar
madre	Mutter	mère	mother	mãe
maestro	Lehrer	instituteur	teacher	professor
marido	Ehemann	mari	husband	marido
marrón	braun	marron	brown	marrom
mayor	älteste	grand	older	mais velho
mi	mein	mon	my	meu
moreno	dunkel	brun	dark skinned, dark haired	moreno
mucho	viel	beaucoup	a lot	muito
mujer	Frau	femme	wife	mulher
muy	sehr	très	very	muito
ni	auch nicht	ni	nor	nem
nieta	Enkelin	petite-fille	granddaughter	neta
nieto	Enkel	petit-fils	grandson	neto
novia	Braut	copine	girlfriend	namorada
novio	Bräutigam	copain	boyfriend	namorado
ojo	Auge	œil	eye	olho
oscuro	dunkel	sombre	dark	escuro
padre	Vater	père	father	pai
padres	Eltern	parents	parents	pais
pelo	Haar	cheveux	hair	cabelo
periodismo	Journalismus	journalisme	journalism	jornalismo
piloto de carreras	Rennfahrer	pilote de courses	racing driver	piloto de corridas
poco, un ~	wenig, ein ~	peu, un ~	bit, a ~	pouco, um ~
político	Politiker	homme, femme politique	politician	político
prima	Cousine	cousine	cousin	prima
primo	Cousin	cousin	cousin	primo
que	welcher	que	that	que
quién	wer	qui	who	quem
rizado	lockig	frisé	curly	enrolado
serio	ernst	sérieux	serious	sério
simpático	freundlich	sympathique	friendly	simpático
sobrina	Nichte	nièce	niece	sobrinha
sobrino	Neffe	neveu	nephew	sobrinho
sociable	gesellig	sociable	sociable	sociável
soltero	Single	célibataire	bachelor	solteiro
tenista	Tennisspieler	joueur de tennis	tennis player	tenista
tía	Tante	tante	aunt	tia
tímido	schüchtern	timide	shy	tímido
tío	Onkel	oncle	uncle	tio
tonto	dumm	bête	stupid	bobo
trabajador	fleißig	travailleur	hard-working	trabalhador
verde	grün	vert	green	verde
viejo	alt	vieux	old	velho

Lección 6: Objetos

	Alemán	Francés	Inglés	Portugués
agenda	Notizbuch	agenda	diary	agenda
billete	Geldschein	billet	note	nota
bolígrafo	Kugelschreiber	stylo	pen	caneta
bolso	Tasche	sac	handbag	bolsa
cartas	Briefe	lettres	letters	cartas
céntimo	Cent	centime	cent	centavo
comprar	kaufen	acheter	to buy	comprar
cosa	Sache	chose	thing	coisa
costar	kosten	coûter	to cost	custar
cuaderno	Schreibheft	cahier	notebook	caderno
decidir	entscheiden	décider	to decide	decidir
diccionario	Wörterbuch	dictionnaire	dictionary	dicionário
esa	jene	cette	that	essa
esas	jene	ces, celles-là	those	essas
ese	jener	ce, celui-là	that	esse
esos	jene	ces	those	esses
estanco	Laden	bureau de tabac	tobacconist's	tabacaria
estas	diese	ces	these	estas
estos	diese	ces	these	estes
euro	Euro	euro	euro	euro
gafas	Brille	lunettes	glasses	óculos
goma de borrar	Radiergummi	gomme	rubber	borracha
hay	es gibt	il y a	there is /there are	há
hoja	Blatt	feuille	sheet	folha
lámpara	Lampe	lampe	lamp	lâmpada
librería	Bücherei	librairie	book shop	livraria
libro	Buch	livre	book	livro
llave	Schlüssel	clé	key	chave
llevar(se)	mitnehmen	prendre	to take	levar
mapa	Karte	plan	map	mapa
mesa	Tisch	table	table	mesa
moneda	Münze	monnaie, devise	currency	moeda
negro	schwarz	noir	black	preto
objeto	Gegenstand	objet	object	objeto
ordenador	Computer	ordinateur	computer	computador
papel	Papier	papier	paper	papel
papelería	Papierkorb	papeterie	stationer's	papelaria
postal	Postkarte	carte postale	postcard	cartão-postal
precio	Preis	prix	price	preço
querer	brauchen	vouloir	to want	querer
reloj	Uhr	montre	watch	relógio
revista	Zeitschrift	revue	magazine	revista
rojo	rot	rouge	red	vermelho

sello	Briefmarke	timbre	stamp	selo
silla	Stuhl	chaise	chair	cadeira
sin	ohne	sans	without	sem
sobre	Briefumschlag	enveloppe	envelope	envelope
unas	einige	des	some	umas
unos	einige	des	some	uns
vale	einverstanden	d'accord	OK	ok
vender	verkaufen	vendre	to sell	vender
ver	sehen	voir	to see	ver

Lección 7: Mi pueblo, mi ciudad

	Alemán	Francés	Inglés	Portugués
aburrido	langweilig	ennuyeux	boring	chato
antiguo	alt	ancien	old	antigo
aproximadamente	ungefähr	à peu près	approximately	aproximadamente
atlántico	Atlantik	atlantique	Atlantic	atlântico
bonito	hübsch	beau	pretty	bonito
bosque	Wald	forêt	forest	bosque
capital	Hauptstadt	capitale	capital	capital
centro	Mitte	centre	centre	centro
cerca (de)	in der Nähe von	à côté (de)	near	perto (de)
costa	Küste	côte	coast	litoral
desierto	Wüste	désert	desert	deserto
dinámico	dynamisch	dynamique	dynamic	dinâmico
este	diese	est	east	este
Europa	Europa	Europe	Europe	Europa
gran	groß	grand, grande	great, big	grande
habitante	Einwohner	habitant	inhabitant	habitante
importante	wichtig	important	important	importante
isla	Insel	île	island	ilha
lejos (de)	weit weg von	loin (de)	far (from)	longe (de)
más de	mehr als	plus de	more than	mais de
medio	halb	un demi (million)	half	meio
mediterráneo	Mittelmeer	méditerranéen	Mediterranean	mediterrâneo
menos de	weniger als	moins de	fewer than	menos de
millón	Million	million	million	milhão
moderno	modern	moderne	modern	moderno
monumento	Denkmal	monument	monument	monumento
mundo	Welt	monde	world	mundo
museo	Museum	musée	museum	museu
noreste	Nordosten	nord-est	northeast	nordeste
noroeste	Nordwesten	nord-ouest	northwest	noroeste
norte	Norden	nord	north	norte
océano	Ozean	océan	ocean	oceano

oeste	Westen	ouest	west	oeste
parque	Park	parc	park	parque
pequeño	klein	petit	small	pequeno
playa	Strand	plage	beach	praia
por	durch	pour	for	por
pueblo	Dorf	village	village	povoado
puerto	Hafen	port	port	porto
región	Region	région	region	região
río	Fluss	rivière	river	rio
sur	Süden	sud	south	sul
sureste	Südosten	sud-est	southeast	sudeste
suroeste	Südwesten	sud-ouest	southwest	sudoeste
tabaco	Tabak	tabac	tobacco	cigarro
tranquilo	ruhig	tranquille	quiet	tranquilo
turístico	touristisch	touristique	touristy	turístico

Lección 8: Mi casa y mi habitación

	Alemán	Francés	Inglés	Portugués
aire acondicionado	Klimaanlage	air conditionné	air conditioning	ar condicionado
alrededor de	ungefähr	autour de	around	ao redor de
ancho	breit	large	wide	largo
armario	Schrank	armoire	cupboard	armário
ascensor	Aufzug	ascenseur	lift	elevador
bañera	Badewanne	baignoire	bath	banheira
barato	billig	pas cher, bon marché	cheap	barato
calefacción	Heizung	chauffage	central heating	aquecimento
calle peatonal	Fußgängerzone	rue piétonne	pedestrian street	calçada
cama	Bett	lit	bed	cama
céntrico	zentrisch	central	central	central
cocina	Küche	cuisine	kitchen	cozinha
cocina, ~ eléctrica, ~ de gas	E-Herd, Gasherd	cuisinière, ~ électrique, ~ à gaz	cooker, electric ~, gas ~	fogão, ~ elétrico, ~ a gás
comedor	Esszimmer	salle à manger	dining room	sala de jantar
comunicado	Verkehrsverbindungen	bien desservi	accessible	comunicado
cuarto, ~ de baño	Zimmer, Bade~	salle, ~ de bains	room, bath~	quarto, banheiro
dar	in Richtung	donner	to look out over	dar
debajo (de)	unten	sous	under	embaixo (de)
delante (de)	davor	devant	in front (of)	em frente (de)
dentro (de)	innerhalb	dans	in	dentro (de)
derecha, a la ~ (de)	rechts, nach ~ (von)	droite, à ~ (de)	right, on the ~	direita, à ~ (de)
detrás (de)	hinten	derrière	behind	atrás (de)
dibujo	Zeichnung	dessin	picture	desenho

dormitorio	Schlafzimmer	chambre	bedroom	quarto
ducha	Dusche	douche	shower	chuveiro
DVD	DVD	DVD	DVD	DVD
en	in, auf	dans	in, on	em
encima (de)	auf	sur	on	em cima (de)
enfrente (de)	vor	en face de	opposite	em frente (de)
entre	zwischen	entre	between	entre
escalera	Treppe	escalier	stairs	escada
estantería	Regal	étagère	shelf	estante
estrecho	eng	étroit	narrow	estreito
estudio	Zimmer	bureau	study	estúdio
exterior	außen	extérieur	outward-facing	exterior
frigorífico	Kühlschrank	frigo	refrigerator	geladeira
fuera (de)	außerhalb von	en-dehors de	outside	fora (de)
garaje	Garage	garage	garage	garagem
gato	Katze	chat	cat	gato
izquierda, a la ~ (de)	links, lach ~ (von)	gauche, à ~ (de)	left, on the ~	esquerda, à ~ (de)
jardín	Garten	jardin	garden	jardim
lado: al ~ (de)	neben, seitlich	côté, à ~ (de)	side, next to	lado, ao ~ (de)
lavabo	Waschraum	lavabo	washbasin	pia do banheiro
lavadora	Waschmaschine	machine à laver	washing machine	máquina de lavar
lavaplatos	Geschirrspüler	lave-vaisselle	dishwasher	máquina de lavar louça
luz	Licht	lumière	light	luz
madera	Holz	bois	wooden	madeira
mayo	Mai	mai	May	Maio
mesilla	Beistelltisch	table de nuit	bedside table	mesa de cabeceira
microondas	Mikrowelle	micro-ondes	microwave	microondas
mosca	Mücke	mouche	fly	mosca
niño	Kind	enfant	boy	menino
nuevo	neu	neuf	new	novo
pared	Wand	mur	wall	parede
piso	Wohnung	appartement	apartment, flat	apartamento
puerta	Tür	porte	door	porta
salón	Wohnzimmer	salon	sitting room	sala (de estar)
sillón	Sessel	fauteuil	armchair	poltrona
sobre	auf	sur	over, on	sobre
sofá	Sofa	canapé	sofa	sofá
suelo	Fussboden	sol	floor	chão
techo	Decke	plafond	ceiling	teto
terraza	Terrasse	terrasse	balcony	varanda
ventana	Fenster	fenêtre	window	janela

Lección 9: Gustos

	Alemán	Francés	Inglés	Portugués
bailar	tanzen	danser	to dance	dançar
baile	Tanz	bal	dance	dança
bueno	gut	bon	good	bom
chat	Chat	*chat*	webchat	bate-papo
chatear	chatten	chatter	to take part in a webchat	bater papo na Internet
ciencia ficción	Science-Fiction	science-fiction	science fiction	ficção científica
cine	Film	cinéma	films	cinema
clase	Klasse, Unterricht	classe	classroom, class	sala de aula
coche	Auto	voiture	car	carro
concierto	Konzert	concert	concert	show
cuadro	Bild	tableau	painting	quadro
deberes	Hausaufgaben	devoirs	homework	lição de casa
diferente	verschieden	différent	different	diferente
disco	Scheibe	disque	record	disco
discoteca	Discothek	discothèque	discotheque	discoteca
encantar	bezaubern	adorer	to love	adorar
esquí	Ski	ski	skiing	esqui
esquiar	Skilaufen	skier	to ski	esquiar
fútbol	Fußball	football	football	futebol
gente	Leute	gens	people	gente
grabación	Aufnahme	enregistrement	recording	gravação
gramática	Grammatik	grammaire	grammar	gramática
gustar	gefallen	aimer	to like	gostar
gusto	Geschmack	goût	taste	gosto
horrible	schrecklich	horrible	horrible	horrível
juego	Spiel	jeu	game	jogo (esportes)
jugar	spielen	jouer	to play	jogar
lectura	Lektüre	lecture	reading	leitura
lunes	Montag	lundi	Monday	segunda-feira
mal	schlecht	mal	bad	mal
mañana: por la ~	Morgen: ~ früh	matin : le ~	morning: in the ~	manhã: de ~
mismo	selbst	même	same	mesmo
moda	Mode	mode	fashion	moda
moto	Motorrad	moto	motorbike	moto
música clásica	klassische Musik	musique classique	classical music	música clássica
nada	nichts	pas du tout	(not) at all	nenhum pouco
navegar por internet	im Internet surfen	surfer	to surf the Internet	navegar pela Internet
película	Film	film	film	filme
precioso	kostbar	beau	beautiful	lindo
querer	lieben	aimer	to love	querer
radio	Radio	radio	radio	rádio

rock	Rock	rock	rock	*rock*
sábado	Samstag	samedi	Saturday	sábado
salir	ausgehen	sortir	to go out	sair
semana	Woche	semaine	week	semana
también	auch	aussi	also	também
tampoco	auch nicht	non plus	neither	também não
teatro	Theater	théâtre	theatre	teatro
tenis	Tennis	tennis	tennis	tênis
terror	Terror	terreur	horror	terror
viajar	reisen	voyager	to travel	viajar

Lección 10: Mi barrio, horarios públicos y el tiempo

	Alemán	Francés	Inglés	Portugués
a	um	à	at	a
abierto	geöffnet	ouvert	open	aberto
abril	April	avril	April	abril
abrir	öffnen	ouvrir	to open	abrir
agosto	August	août	August	agosto
agradable	angenehm	agréable	nice	agradável
allí	dort	là-bas	there	lá
antes	vorher	avant	before	antes
aparcamiento	Parkplatz	parking	car park	estacionamento
árbol	Baum	arbre	tree	árvore
ayuntamiento	Gemeinde	hôtel de ville, mairie	town hall	prefeitura
barrio	Stadtviertel	quartier	neighbourhood	bairro
bastante	ziemlich	pas mal, assez	quite a few	muito
biblioteca	Bibliothek	bibliothèque	library	biblioteca
bueno	schön, schönes Wetter	beau	good	bom
cajero automático	Bargeldautomat	distributeur automatique	cash point	caixa eletrônico
calor, hace ~	Wärme, Es ist warm	chaleur, Il fait chaud	hot, It is ~	calor, Está quente
centro, ~ oficial, ~ comercial	Zentrum, Amts~ Einkaufs~	centre, ~ administratif, ~ commercial	centre, shopping ~	centro, shopping, ~ oficial
cerrado	geschlossen	fermé	closed	fechado
cerrar	schließen	fermer	to close	fechar
cuarto: menos ~, y ~	viertel: ~ vor, ~ nach	quart: moins le ~, et ~	quarter: a ~ to, a ~ past	quinze para as, e quinze
diciembre	Dezember	décembre	December	dezembro
domingo	Sonntag	dimanche	Sunday	domingo
edificio	Gebäude	immeuble	building	prédio
enero	Januar	janvier	January	janeiro
estación	Jahreszeit	saison	season	estação
estación de metro	U-Bahn Station	station de métro	underground station	estação de metrô

farmacia	Apotheke	pharmacie	chemist's	farmácia
febrero	Februar	février	February	fevereiro
frío	kalt	froid	cold	frio
hacer	Es ist	faire	it's	fazer
hora	Uhr	heure	time	hora
horario	Stundenplan	horaire	timetable	horário
ideal	ideal	idéal	ideal	ideal
iglesia	Kirche	église	church	igreja
imagen	Eindruck	image	picture	imagem
invierno	Winter	hiver	winter	inverno
jueves	Donnerstag	jeudi	Thursday	quinta-feira
julio	Juli	juillet	July	julho
junio	Juni	juin	June	junho
llover	regnen	pleuvoir	to rain	chover
malo	schlecht, schlechtes Wetter	mauvais	bad	mau
martes	Dienstag	mardi	Tuesday	terça-feira
marzo	März	mars	March	março
media: y ~	halb	demie: et ~	half: ~ past	meia: e ~
menos	zehn vor zwei	moins	to	para as
miércoles	Mittwoch	mercredi	Wednesday	quarta-feira
minuto	Minute	minute	minute	minuto
nevar	schneien	neiger	to snow	nevar
niebla	Nebel	brouillard	fog	nevoeiro
noviembre	November	novembre	November	novembro
nublado	bewölkt	nuageux	cloudy	nublado
octubre	Oktober	octobre	October	outubro
oficina de información	Informationsbüro	bureau d'informations	information centre	posto de informações
otoño	Herbst	automne	autumn	outono
peatonal	Fußweg	piétonnier	pedestrian	de pedestres
poco	bisschen	un peu	little	pouco
pocos	wenig	peu de	few	poucos
por la mañana/ tarde/noche	am, ~ Nachmittag / Abend / nachts	le matin / l'après-midi / le soir	in the morning/ afternoon/evening	de manhã / à tarde / à noite
preferido	bevorzugt	préféré	favourite	preferido
primavera	Frühling	printemps	spring	primavera
punto: en ~	um genau....	juste	sharp	ponto: em ~
ruido	Lärm	bruit	noise	barulho
ruidoso	laut	bruyant	noisy	barulhento
septiembre	September	septembre	September	setembro
sol	Sonne	soleil	sunny	sol
supermercado	Supermarkt	supermarché	supermarket	supermercado
tiempo	Wetter	temps	weather	tempo
verano	Sommer	été	summer	verão
viento	Wind	vent	wind	vento
viernes	Freitag	vendredi	Friday	sexta-feira

| y | - | et | past | e |
| zona verde | Grünzone | espace vert | green area | área verde |

Lección 11: Un día normal

	Alemán	Francés	Inglés	Portugués
acostarse	sich hinlegen	se coucher	to go to bed	deitar-se
cenar	zu Abend essen	dîner	to have dinner	jantar
chiste	Witz	blague	joke	piada
comer	essen	déjeuner	to have lunch	almoçar
como	wie	comme	just like	como
creer	glauben	croire	to believe	achar
desayunar	frühstücken	prendre le petit déjeuner	to have breakfast	tomar o café da manhã
dibujar	zeichnen	dessiner	to draw	desenhar
diente	Zahn	dent	tooth	dente
dormir	schlafen	dormir	to sleep	dormir
ducharse	sich duschen	se doucher	to have a shower	tomar banho
empezar	anfangen	commencer	to start	começar
humor	Humor	humour	humour	humor
lavarse, ~ los dientes	waschen, sich die Zähne ~	se laver, ~ les dents	to wash oneself, to brush your teeth	lavar-se, escovar os dentes
levantarse	aufstehen	se lever	to get up	levantar-se
más o menos	mehr oder weniger	plus ou moins	more or less	mais ou menos
normal	normal	normal	normal	normal
policíaco	Polizist	policier	detective	policial
siempre	immer	toujours	always	sempre
sobre	gegen	environ	around	por volta das
tarde	nachmittags	tard	late	tarde
terminar	beenden	terminer	to finish	terminar
volver	zurückkehren	revenir	to return	voltar

Lección 12: El fin de semana

	Alemán	Francés	Inglés	Portugués
arquitecto	Architekt	architecte	architect	arquiteto
bicicleta	Fahrrad	vélo	bicycle	bicicleta
campo	Feld	campagne	countryside	campo
cocinar	kochen	cuisiner	to cook	cozinhar
compra, hacer la ~, ir de ~s	kaufen, ein~ gehen	courses, faire les ~, faire du shopping	shopping, to do the ~, to go ~	compra, fazer ~s
copa, ir de ~s	inen trinken gehen	verre à vin, sortir prendre un verre	drink, to go out for a ~	taça, sair para beber
deporte	Sport	sport	sport	esporte
descansar	ausruhen	se reposer	to rest	descansar
europeo	Europäisch	européen	european	europeu

	Alemán	Francés	Inglés	Portugués
exposición	Ausstellung	exposition	exhibition	exposição
fin de semana	Wochenende	week-end	weekend	fim de semana
fuera	außerhalb	à l'extérieur	out	fora
gimnasia	Fitnesscenter	gymnastique	gym	ginástica
hora	Stunde	heure	hour	hora
lavar	waschen	laver	to wash	lavar
limpiar	sauber machen	nettoyer	to clean	limpar
llegada	Ankunft	arrivée	finish	chegada
llegar	ankommen	arriver	to arrive	chegar
menudo, a ~	oft	souvent	often	frequentemente
montaña	Berg	montagne	mountain	montanha
montar	fahren	monter	to ride	andar de
normalmente	normalerweise	normalement	normally	normalmente
nunca	niemals	jamais	never	nunca
pasear	ausgehen	se promener	to walk	passear
programa	Programm	programme, émission	programme	programa
pronto	bald	tôt	early	cedo
ropa	Kleidung	vêtements	clothes	roupa
salida	Ausgang	sortie	start	saída
tirar	werfen	jeter	to throw	jogar
turno	an der Reihe sein	tour	turn	vez
vaqueros	Jeans	jean	jeans	calça jeans
vez, a veces	manchmal	fois, par~	time, sometimes	vez, às vezes

Lección 13: El trabajo

	Alemán	Francés	Inglés	Portugués
andar	gehen	marcher	to walk	andar
atender	bedienen	s'occuper	to see to	atender
autobús	Bus	bus	bus	ônibus
avión	Flugzeug	avion	airplane	avião
barco	Schiff	bâteau	boat	barco
coger	nehmen	prendre	to catch	pegar
conducir	fahren	conduire	to drive	dirigir
contento	zufrieden	content	happy	contente
cortar	schneiden	couper	to cut	cortar
dar (clase)	unterrichten	enseigner	to teach	dar aula
dentista	Zahnarzt	dentiste	dentist	dentista
desde	ab	depuis	from	das
día libre	freier Tag	jour libre, jour de repos	day off	dia de folga
en	im, im Bus, im Auto, in der Metro, auf dem Schiff	en	by	de
enviar	senden	envoyer	to send	enviar
equipo	Ausrüstung	équipe	team	equipe
extranjero	Ausland	étranger	abroad	estrangeiro

fotógrafo	Fotograf	photographe	photographer	fotógrafo
funcionario	Beamter	fonctionnaire	civil servant	funcionário público
ganar	verdienen	gagner	to earn	ganhar
grupo	Gruppe	groupe	group	grupo
guitarra	Gitarre	guitare	guitar	guitarra
informática	Informatik	informatique	computing	informática
instituto	Schule	lycée	secondary school	escola de ensino médio
jefe	Chef	chef	boss	chefe
Matemáticas	Mathematik	mathématiques	mathematics	Matemática
mes	Monat	mois	month	mês
metro	Meter	métro	underground	metrô
ministerio	Ministerium	ministère	ministry	ministério
músico	Musiker	musicien	musician	músico
paro, en ~	Arbeitslos	chômage, au ~	unemployment, unemployed	desemprego, desempregado
peluquero	Friseur	coiffeur	hairdresser	cabeleireiro
pie, a ~	Fuß, zu ~ gehen	pied, à ~	foot, on ~	pé, a ~
por	durchs	au (téléphone), sur (internet)	on	por
por	pro	par	a	por
pregunta	Frage	question	question	pergunta
reunión	Versammlung	réunion	meeting	reunião
sueldo	Gehalt	salaire	salary	salário
tardar	dauern	mettre du temps	to take (time)	demorar
taxista	Taxifahrer	chauffeur de taxi	taxi driver	taxista
tocar	spielen	jouer	to play	tocar
tren	Zug	train	train	trem
unisex	Unisex	unisexe	unisex	unissex
vacaciones	Ferien	vacances	holiday	férias
venir	kommen	venir	to come	vir

Lección 14: ¿Sabes nadar?

	Alemán	Francés	Inglés	Portugués
acuerdo, de ~	Vereinbarung	accord, d'~	I agree, OK	acordo, de ~
ajedrez	Schach	échecs	chess	xadrez
así, así	so	comme ci, comme ça	so-so	mais ou menos
baloncesto	Basketball	basket	basketball	basquete
blog	Blog	blog	blog	blog
cantar	singen	chanter	to sing	cantar
cartas	Karten	cartes	cards	cartas
conocer	kennen	connaître	to know	conhecer
cultura	Kultur	culture	culture	cultura
difícil	schwierig	difficile	difficult	difícil
fácil	leicht	facile	easy	fácil

gol	Tor	but	goal	gol
hispano	Spanisch, Spanier	hispano	Hispanic	hispano
idioma	Sprache	langue	language	idioma
instrumento musical	Musikinstrument	instrument de musique	musical instrument	instrumento musical
interesante	interessant	intéressant	interesting	interessante
latino	lateinamerikaner	latino	latin	latino
memoria, de ~	auswendig	mémoire, par coeur	memory, by heart	memória, de cor
mueble	Möbel	meuble	furniture	móvel
nadar	schwimmen	nager	to swim	nadar
necesario	erforderlich	nécessaire	necessary	necessário
página web	Website	Page web	website	site
pequeño	jung	petit	young	criança
piano	Piano	piano	piano	piano
pintar	malen	peindre	to paint	pintar
plato	Gericht	plat	dish	prato
practicar	praktizieren	pratiquer	to practise	praticar
profesional	Fachmann	professionnel	professional	profissional
regular	regeln	plus ou moins bien, moyen	so-so	mais ou menos
respuesta	Antwort	réponse	answer	resposta
saber	wissen, können	savoir	to know, to be able to	saber
tortilla de patatas	Omelette	omelette aux pommes de terre	potato omelette	omelete de batatas

Lección opcional: ¿Qué hiciste ayer?

	Alemán	Francés	Inglés	Portugués
ayer	gestern	hier	yesterday	ontem
cafetería	Cafeteria	cafétéria, café	café	lanchonete
contestar	antworten	répondre	to answer	responder
entonces	demzufolge	alors	so	então
examen	Prüfung	examen	exam	prova
piscina	Schwimmhalle	piscine	swimming pool	piscina
quedar (con)	zusammen bleiben mit	prendre rendez-vous (avec), retrouver quelqu'un	to arrange to meet someone	combinar (com)
quedarse	bleiben	rester	to stay	ficar
saludar	grüßen	saluer	to greet	cumprimentar
utilizar	benutzen	utiliser	to use	utilizar
vídeo	Video	vidéo	video	vídeo
vuelta, dar una ~	Runde, eine ~ drehen	tour, faire un ~	walk, to go for a ~	volta, dar uma ~